JN116259

ぼくらの七《なの》日《か》間《かん》戦《せん》争《そう》

❶/3

宗田《そうだ》 理《おさむ》・作《さく》
はしもとしん・絵《え》

角川つばさ文庫
オンデマンドブックス

目次《もくじ》

❶/3

一日《いちにち》　宣戦布告《せんせんふこく》…10

二日《ふつか》　説得工作《せっとくこうさく》…134

❷/3

三日《みっか》　女《おんな》スパイ

四日《よっか》　救出作戦《きゅうしゅつさくせん》

五日《いつか》　迎撃《げいげき》［1,2］

❸/3

五日《いつか》　迎撃《げいげき》［3,4］

六日《むいか》　総攻撃《そうこうげき》

七日《なのか》　撤退《てったい》

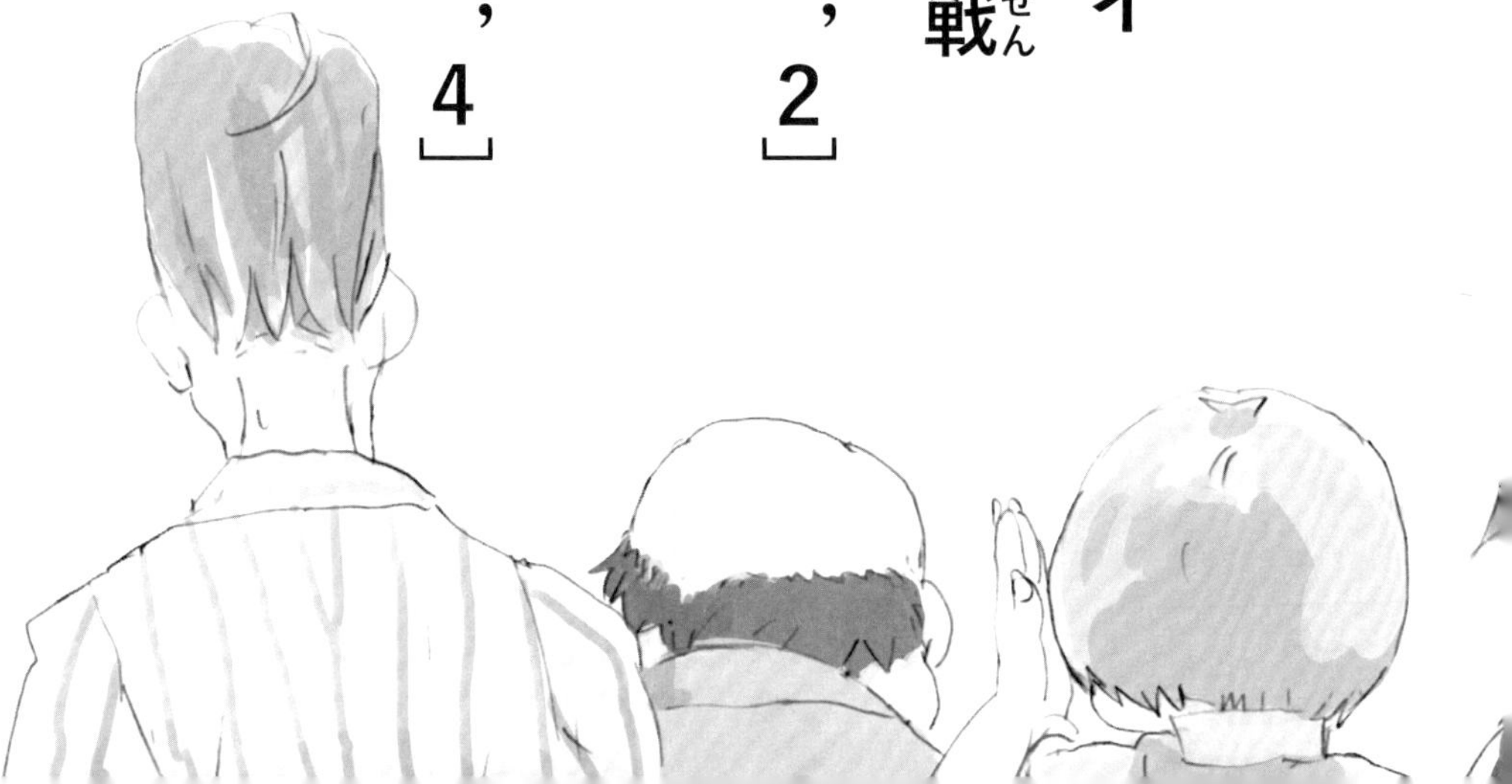

登場人物紹介《とうじょうじんぶつしょうかい》

菊地英治《きくちえいじ》

1年《ねん》2組《くみ》。

ぼくらシリーズ

の主人公《しゅじんこう》。

相原《あいはら》　徹《とおる》

1年《ねん》2組《くみ》。

両親《りょうしん》は塾《じゅく》を経営《けいえい》。

柿沼《かきぬま》直樹《なおき》

同《どう》。

産婦人科医院《さんふじんかいいん》の息子《むすこ》。

安永《やすなが》　宏《ひろし》

同《どう》。

大工《だいく》の息子《むすこ》で

けんかの達人《たつじん》。

天野司郎《あまのしろう》

同《どう》。

スポーツアナ志望《しぼう》。

日比野《ひびの》　朗《あきら》

同《どう》。

コック長《ちょう》。

料理《りょうり》が上手《うま》い。

中尾和人《なかおかずと》

同《どう》。

塾《じゅく》に行《い》かず、抜群《ばつぐん》の秀才《しゅうさい》。

谷本《たにもと》　聡《さとる》

同《どう》。

エレクトロニクスの天才《てんさい》。

宇野秀明《うのひであき》

同《どう》。

シマリスちゃん。

電車《でんしゃ》や路線《ろせん》に詳《くわ》しい。

佐竹哲郎《さたけてつろう》

同《どう》。

弟《おとうと》の俊郎《としろう》、

愛犬《あいけん》タローとともに

仲間《なかま》を助《たす》ける。

秋元尚《あきもとなお》也《や》
同《どう》。
絵《え》の天才《てんさい》。

中山《なかやま》ひとみ
同《どう》。
水泳中学一《すいえいちゅうがくいち》の
美少女《びしょうじょ》。

橋口純《はしぐちじゅん》子《こ》
同《どう》。
中華料理《ちゅうかりょうり》屋《や》の長女《ちょうじょ》。

堀場久美子《ほりばくみこ》

同《どう》。

スケ番《ばん》。

父《ちち》はＰＴＡ《ピーティーエー》会長《かいちょう》。

西脇由布子《にしわきゆうこ》

養護《ようご》教諭《きょうゆ》。

明《あか》るい美人《びじん》。

瀬川卓蔵《せがわたくぞう》

浮浪者風《ふろうしゃふう》の老人《ろうじん》。

最大《さいだい》の味方《みかた》。

一日《いちにち》　宣戦布告《せんせんふこく》

1

掛時計《かけどけい》の長針《ちょうしん》と短針《たんしん》が重《かさ》なった。
正午《しょうご》。
さっきからそれを見《み》つめていた菊地詩乃《きくちしの》は、あらためて大《おお》きな溜息《ためいき》をついた。

予定《よてい》の帰宅時間《きたくじかん》から一時間《いちじかん》もおくれている。最《さい》初《しょ》の苛立《いらだ》ちが、いつの間《ま》にか不安《ふあん》にすり変《か》わっていた。何《なに》かあったのだろうか？

――交通事故《こうつうじこ》？

まさか。学校《がっこう》からの帰《かえ》り道《みち》に交通事故《こうつうじこ》なんて、起《お》きると考《かんが》える方《ほう》がどうかしている。

成績《せいせき》がわるくて、学校《がっこう》に残《のこ》されたのだろうか？

一人息子《ひとりむすこ》の英治《えいじ》は中学《ちゅうがく》一年《いちねん》。きょうは一学期《いちがっき》の終業式《しゅうぎょうしき》である。いくらおそくても、十一時《じゅういちじ》には帰《かえ》れるはずだ。

そうしたら、十一時半《じゅういちじはん》に英治《えいじ》をアウディ80に乗《の》せて家《いえ》を出発《しゅっぱつ》。十二時十分《じゅうにじじっぷん》に、池袋《いけぶくろ》のサンシャインビルの前《まえ》で夫《おっと》の英介《えいすけ》を拾《ひろ》う。

英介《えいすけ》の会社《かいしゃ》はサンシャインビルにあるのだが、きょうの午後《ごご》から休《やす》みをとり、日曜日《にちようび》までの三日間《みっかかん》、軽井沢《かるいざわ》で親子三人《おやこさんにん》テニスをやったり、高原《こうげん》のドライブをしたりしようという計画《けいかく》である。

計画《けいかく》を立《た》てたのは詩乃《しの》で五月《ごがつ》のことである。夫《おっと》の英介《えいすけ》はさほど乗《の》り気《き》ではなかったが、英治《えいじ》がすごく行《い》きたがっているからと言《い》って、しかたなしに承知《しょうち》させたものである。

けさ英治《えいじ》が学校《がっこう》へ出《で》かけるとき、詩乃《しの》は、道草《みちくさ》をせずに早《はや》く家《いえ》に帰《かえ》ってくるよう、しつこいくらい言《い》った。そんなことを言《い》わなくても、英治《えいじ》は聞《き》きわけのいい子《こ》なのだが、なんとなく虫《むし》が知《し》らせたのかもしれない。

——それにしてもおかしい。

時間《じかん》は容赦《ようしゃ》なく過《す》ぎてゆく。詩乃《しの》は窓《まど》から表《おもて》を眺《なが》めた。梅雨明《つゆあ》けの青空《あおぞら》がひろがって、道路《どうろ》は強《つよ》い陽光《ようこう》を受《う》けて、皓々《こうこう》と光《ひか》っている。英治《えいじ》が帰《かえ》ってくるとすれば、向《む》こうの曲《ま》がり角《かど》から姿《すがた》をあらわさなければならないのだが、人《ひと》っ子一人見《こひとりみ》えず、森閑《しんかん》としている。

突然電話《とつぜんでんわ》が鳴《な》って、思《おも》わず、椅子《いす》から腰《こし》を浮《う》かした。悪《わる》い報《しら》せかもしれない。そうだ。きっとそうにちがいない。激《はげ》しい動悸《どうき》がして、胸苦《むなぐる》しくなってきた。電話《でんわ》は鳴《な》りつづける。意《い》を決《けっ》して受話器《じゅわき》に手《て》を伸《の》ばした。

「いつまで、何《なに》をぐずぐずしているんだ？」

いきなり、夫《おっと》の英介《えいすけ》のどなり声《ごえ》である。

「英治《えいじ》が……」

「英治《えいじ》がどうかしたのか？」

「帰《かえ》ってこないのよ」

「どこかで遊《あそ》んでるんだろう。早《はや》く帰《かえ》ってくるよう、ちゃんと言《い》ったのか？」

「言《い》ったわよ。口《くち》が酸《す》っぱくなるくらい」

「おかしいじゃないか」

「おかしいのよ」

詩乃《しの》は英介《えいすけ》の言葉《ことば》を反復《はんぷく》した。

「学校《がっこう》へ行《い》ってみたのか？」

「いいえ、まだ」

「どうして行《い》かないんだ？」

英介《えいすけ》は声《こえ》を荒《あら》げた。そう言《い》われてみれば、まったくそのとおりだ。

「いまから行《い》って見《み》てくるわ。十五分《じゅうごふん》したら、もう一度電話《いちどでんわ》くださる?」

詩乃《しの》は、電話《でんわ》を切《き》るや否《いな》や、自転車《じてんしゃ》に乗《の》って家《いえ》を飛《と》び出《だ》した。目《め》がまぶしくなるほどの強《つよ》い日差《ひざ》しだ。

　中学校《ちゅうがっこう》までは六〇〇《ろっぴゃく》メートルほどの距離《きょり》である。途中《とちゅう》、下校《げこう》する生徒《せいと》に出会《であ》うかもしれないと思《おも》ったのに、子《こ》どもたちの姿《すがた》は全然《ぜんぜん》ない。この時間《じかん》だ。いないのが当《あ》たり前《まえ》である。

急《いそ》いだので、五分《ごふん》ほどで学校《がっこう》に着《つ》いたが、ここもがらんとして人影《ひとかげ》は見《み》あたらない。ただ、運動《うんどう》場《じょう》の隅《すみ》のプールだけが人声《ひとごえ》で騒々《そうぞう》しい。詩乃《しの》は、自転車《じてんしゃ》を校門《こうもん》の脇《わき》に置《お》いてプールに近《ちか》づいた。子《こ》どもたちは二十人《にじゅうにん》くらいいる。もうすぐ、区《く》の対抗試合《たいこうじあい》があるから練習《れんしゅう》しているにちがいない。

知《し》っている顔《かお》がないかと見《み》まわしたとき、ちょうどプールから上《あ》がってきたばかりの中山《なかやま》ひとみと目《め》が合《あ》った。ひとみは、にっこり微笑《わら》って頭《あたま》を下《さ》げた。

「ねえ、英治《えいじ》帰《かえ》ったかしら？」

ひとみは、英治《えいじ》と同《おな》じ一年二組《いちねんにくみ》で〝玉《たま》すだれ〟という料亭《りょうてい》の娘《むすめ》である。

「ええ、帰《かえ》りましたよ」

ひとみは、一六〇《ひゃくろくじゅっ》センチをこす上背《うわぜい》と、若《わか》い娘《むすめ》のように発達《はったつ》したからだを惜《お》しげもなく見《み》せて言《い》った。

「そう。いつごろ?」

「さあ、もう一時間以上《いちじかんいじょう》前《まえ》だと思《おも》います。菊地《きくち》君《くん》、どうかしたんですか?」

「まだ帰《かえ》ってこないのよ」

「へえ……。じゃ、どこかで遊《あそ》んでるんじゃないですか?」

「そんなこと言《い》ってた?」

「いいえ、聞《き》きませんでした」

「それとも、成績《せいせき》がわるくて帰《かえ》るに帰《かえ》れないのかしら」

「成績《せいせき》わるいのは、私《わたし》もいっしょ」

ひとみはぺろりと舌《した》を出《だ》すと、いきおいよくプールに飛《と》びこんだ。白《しろ》い水《みず》しぶきが上《あ》がった。

水泳《すいえい》では中学《ちゅうがく》で一番《いちばん》。区《く》でも優勝《ゆうしょう》するだろうと言《い》われている。泳《およ》いでさえいればご機嫌《きげん》なひとみに、母親《ははおや》の雅美《まさみ》は勉強《べんきょう》しろとうるさく言《い》うらしい。

それは、サッカーにばかり夢中《むちゅう》になっている英《えい》治《じ》も同《おな》じで、詩乃《しの》はつい嫌味《いやみ》を言《い》ってしまう。やはり英治《えいじ》にも、父親《ちちおや》の英介《えいすけ》のように、一流大学《いちりゅうだいがく》を出《で》て一流企業《いちりゅうきぎょう》に就職《しゅうしょく》してもらいたいのだ。

詩乃《しの》は、校門《こうもん》を出《で》たところにある電話《でんわ》ボックスに飛《と》びこんだ。中《なか》はサウナみたいな暑《あつ》さで、たちまち汗《あせ》が全身《ぜんしん》から吹《ふ》き出《だ》してくる。英治《えいじ》の友《とも》だちのだれかの家《いえ》に電話《でんわ》しようと思《おも》った。それなのに、電話番号《でんわばんごう》はひとつも思《おも》い出《だ》せない。

電話《でんわ》ボックスを出《で》た詩乃《しの》は、ふたたび自転車《じてんしゃ》で家《いえ》に戻《もど》った。

クラスの名簿《めいぼ》をひらくと、一番《いちばん》は相原徹《あいはらとおる》である。相原《あいはら》の家《いえ》は両親《りょうしん》で塾《じゅく》をやっている。

電話《でんわ》に出《で》たのは、母親《ははおや》の園子《そのこ》だった。

「菊地《きくち》ですけれど、徹君帰《とおるくんかえ》ってきました?」

「さあ」

『徹《とおる》』と遠《とお》くに向《む》かって呼《よ》ぶ声《こえ》がした。

「帰《かえ》っていないようよ」

「おたくも? うちの英治《えいじ》も帰《かえ》ってきませんの。どこへ行《い》ったのかしら?」

「あしたから夏休《なつやす》みだから、きっとどこかふらついているんでしょう」

園子《そのこ》は、まるで気《き》にもかけていない様子《ようす》だ。詩《し》乃《の》は、もし帰《かえ》ってきたら連絡《れんらく》してほしいと言《い》って電話《でんわ》を切《き》った。

つづいて十番《じゅうばん》の佐竹哲郎《さたけてつろう》の家《いえ》に電話《でんわ》した。受《じゅ》話器《わき》の向《む》こうで子《こ》どもの声《こえ》がした。

「哲郎君《てつろうくん》?」

「いいえ、俊郎《としろう》です」

はっきりと否定《ひてい》された。そういえば哲郎《てつろう》には小《しょう》学校五年《がっこうごねん》の弟《おとうと》がいた。

「お兄《にい》ちゃん学校《がっこう》から帰《かえ》ってきた？」

「いいえ、まだ帰《かえ》ってきません」

「パパとママはいないわよね？」

佐竹《さたけ》の家《いえ》では夫婦共稼《ふうふともかせ》ぎで、昼間《ひるま》はだれもいないはずだと思《おも》いながら聞《き》いた。

「はい」

予期《よき》したとおりの返事《へんじ》だった。

「お兄《にい》ちゃん、どこに行《い》ったか知《し》らない？」

「知《し》りません」

詩乃《しの》は、ありがとうと言《い》って電話《でんわ》を切《き》った。これで、英治《えいじ》を含《ふく》めて三人《さんにん》が学校《がっこう》から帰《かえ》っていないということがわかった。そうなると、しめし合《あ》わせてどこかへ遊《あそ》びに行《い》ったのか。この三人《さんにん》は仲良《なかよ》しだから、そういうことがないとも限《かぎ》らない。

電話《でんわ》が鳴《な》った。受話器《じゅわき》を耳《みみ》にあてると、夫《おっと》の英《えい》介《すけ》からだった。

「どうだった？」

「学校《がっこう》はとっくに出《で》たらしいの」

「じゃ、どこへ行《い》ったんだ？」

「わからないわ。帰《かえ》ってこないのは英治《えいじ》だけじゃないのよ。相原君《あいはらくん》と佐竹君《さたけくん》に電話《でんわ》してみたけれど、二人《ふたり》とも帰《かえ》っていないの。ほかにもまだいるかもしれないわ」

「すると、みんなでどこかへ行《い》ったというのか？」

「そうとしか考《かんが》えられないわ」

「英治《えいじ》は、軽井沢《かるいざわ》へ行《い》くことを知《し》っていながら、無断《むだん》ですっぽかしたというんだな？」

英介《えいすけ》の声《こえ》が変《か》わった。我慢《がまん》の限界《げんかい》に達《たっ》している感《かん》じだ。

「誘拐《ゆうかい》されたんでなければね」

「誘拐《ゆうかい》……？」

「まさかとは思《おも》うけれど」

「きょうの軽井沢行《かるいざわい》きは中止《ちゅうし》だ。ぼくはこれから家《いえ》に帰《かえ》る。それまで、ほかの友《とも》だちの家《いえ》にも電話《でんわ》して聞《き》いておいてくれ」

英介《えいすけ》は、とたんに電話《でんわ》を切《き》ってしまった。こんなことで軽井沢《かるいざわ》行《い》きを中止《ちゅうし》するなんて、気《き》が短《みじ》か過《す》ぎる。それとも、本気《ほんき》で誘拐《ゆうかい》を信《しん》じているのであろうか。詩乃《しの》は、どこに電話《でんわ》しようかと思《おも》いながら、指《ゆび》は無意識《むいしき》に柿沼産婦人科病院《かきぬまさんふじんかびょういん》のダイヤルを回《まわ》していた。電話口《でんわぐち》に、母親《ははおや》の奈津子《なつこ》を呼《よ》び出《だ》してもらった。

「直樹君《なおきくん》、学校《がっこう》から帰《かえ》ってきた？」

「いいえ、まだ。おたくも？」

「そうなの。いま、あちこち電話《でんわ》してるんだけど、だれも帰《かえ》っていないのよ。おかしいと思《おも》わない？」

「そうね……」

奈津子《なつこ》は、上《うわ》の空《そら》の返事《へんじ》をした。院長《いんちょう》夫人《ふじん》とはいっても、薬局《やっきょく》に入《はい》って忙《いそが》しいので、子《こ》どものことにはかまっていられないのかもしれない。

「じゃいいわ。私《わたし》、みんなに電話《でんわ》してみる」

「ごめんなさい。結果《けっか》をおしえてね」

図々《ずうずう》しいと言《い》ったらいいのか、おおらかと言《い》うべきなのか。しかし、詩乃《しの》はそんな奈津子《なつこ》を決《けっ》して嫌《きら》いではない。

一年二組《いちねんにくみ》のクラス全員《ぜんいん》、英治以外《えいじいがい》の四十一人《よんじゅういちにん》に電話《でんわ》し終《お》わるのに三十分以上《さんじっぷんいじょう》かかった。男子《だんし》生徒二十一人《せいとにじゅういちにん》のうち、八人《はちにん》はだれもいなくて電《でん》話《わ》に出《で》なかったが、家《いえ》にいたのは、谷本聡《たにもとさとる》ただ一人《ひとり》であった。

谷本《たにもと》は、体育《たいいく》の教師酒井敦《きょうしさかいあつし》にしごかれ、腰椎《ようつい》をいためて一週間以上《いっしゅうかんいじょう》学校《がっこう》に行《い》っていない。だから、きょう学校《がっこう》に行《い》った男子生徒《だんしせいと》は、全員家《ぜんいんいえ》に帰《かえ》っていないということになる。

谷本《たにもと》がやられたのは、必殺宙《ひっさつちゅう》ぶらりん事件《じけん》といって、ＰＴＡ《ピーティーエー》でも問題《もんだい》になりかかったのだが、校長《こうちょう》が谷本《たにもと》の両親《りょうしん》と話《はな》し合《あ》って、もみ消《け》してしまった。

バスケットの練習中《れんしゅうちゅう》、相手側《あいてがわ》にボールを取《と》られると、二回鉄棒《にかいてつぼう》にぶら下《さ》がる必殺宙《ひっさつちゅう》ぶらりんという罰則《ばっそく》を酒井《さかい》が決《き》めた。谷本《たにもと》は何度《なんど》もボールを取《と》られてその都度《つど》ぶら下《さ》がるうち、力尽《ちからつ》きて転落《てんらく》、腰《こし》を打《う》って入院《にゅういん》したのだ。谷本《たにもと》は男子生徒《だんしせいと》が学校《がっこう》から帰《かえ》ってこない理由《りゆう》は知《し》らないと言《い》った。

一方女子生徒《いっぽうじょしせいと》の方《ほう》はひとみのほかは全員《ぜんいん》が帰《き》宅《たく》しており、彼女《かのじょ》たちも、男子生徒《だんしせいと》がどこに行《い》ったのか、知《し》っている者《もの》は一人《ひとり》もいなかった。

午後二時《ごごにじ》。

男子生徒《だんしせいと》の母親《ははおや》たちが詩乃《しの》の家《いえ》に集《あつ》まった。十二畳《じゅうにじょう》のリビングルームは、クーラーの限界《げんかい》を超《こ》えて、蒸《む》れかえるように暑《あつ》くなった。

「学校《がっこう》を出《で》るときは、ばらばらだったみたいよ。だから、誘拐《ゆうかい》じゃないわよね」

宇野秀明《うのひであき》の母親千佳子《ははおやちかこ》が、自分《じぶん》に言《い》い聞《き》かせるように言《い》った。

「子《こ》どもたちは、自分《じぶん》の意志《いし》で行《い》ったのか、それとも、だれかにつれて行《い》かれたのかしら？」

佐竹哲郎《さたけてつろう》の母親《ははおや》紀子《のりこ》は、肥《ふと》っているせいか、ハンカチでしきりに額《ひたい》の汗《あせ》を拭《ふ》いた。

「つれて行《い》くっていったら人《ひと》さらい？　だって、あの子《こ》たち中学生《ちゅうがくせい》よ。しかも、一人《ひとり》や二人《ふたり》じゃないのよ」

日比野朗《ひびのあきら》の母親邦江《ははおやくにえ》は、度《ど》の強《つよ》い眼鏡《めがね》の奥《おく》で、小《ちい》さい目《め》を光《ひか》らせた。

「きっと、何《なに》かをたくらんで姿《すがた》を隠《かく》したにちがいありません。どうせ、そう遠《とお》くへは行《い》ってないと思《おも》います。みんなで手分《てわ》けして捜《さが》しましょう」

いつの間《ま》に帰《かえ》ってきたのか、夫《おっと》の英介《えいすけ》が言《い》った。

「そうだわ」

英介《えいすけ》の言葉《ことば》に、みんな、はじかれたように立《た》ち上《あ》がった。

「荒川《あらかわ》か隅田川《すみだがわ》で、水泳《すいえい》でもしてるんじゃない？

きっとそんなところよ」

相原徹《あいはらとおる》の母親園子《ははおやそのこ》が、明《あか》るい声《こえ》で言《い》った。

「おたくの徹君《とおるくん》はともかく、うちの秀明《ひであき》は、絶対《ぜったい》そんなことはしません」

千佳子《ちかこ》が憤然《ふんぜん》と言《い》った。

「むかしの子《こ》どもじゃあるまいし、それに、全員《ぜんいん》が家《いえ》にも帰《かえ》らず川泳《かわおよ》ぎに行《い》くなんて、そんなこと考《かんが》えられて……？」

邦江《くにえ》も、皮肉《ひにく》をこめて言《い》った。それは、邦江《くにえ》の言《い》うとおりだと詩乃《しの》も思《おも》った。子《こ》どもたちだけで遊《あそ》びに行《い》くなんて光景《こうけい》は、いまでは、見《み》たくても見《み》られやしないのだ。

2

子《こ》ども捜《さが》しは夕方《ゆうがた》までつづけられたが、手《て》がかりはまったくなかった。二十一人《にじゅういちにん》が、蒸発《じょうはつ》したように忽然《こつぜん》と消《き》えてしまったのである。

「こうなったら、電車《でんしゃ》に乗《の》って、遠《とお》くへ行《い》ったとしか考《かんが》えられないわね」

だれかが言《い》った。もしそうだとすれば、二十一人《にじゅういちにん》もの中学生《ちゅうがくせい》が切符《きっぷ》を買《か》って改札口《かいさつぐち》を通《とお》ったのだから、いくら忙《いそが》しい駅員《えきいん》でも覚《おぼ》えているはずだ。

中学校《ちゅうがっこう》からいちばん近《ちか》い駅《えき》はK駅《ケーえき》である。ここは常磐線《じょうばんせん》、東武伊勢崎線《とうぶいせさきせん》、地下鉄千代田線《ちかてつちよだせん》、日比谷線《ひびやせん》が通《とお》っている。

そこよりやや南《みなみ》に京成電鉄《けいせいでんてつ》のS駅《エスえき》がある。西《にし》へ隅田川《すみだがわ》を渡《わた》って行《い》くと、少《すこ》し遠《とお》いけれど京浜《けいひん》東北線《とうほくせん》、東北本線《とうほくほんせん》のD駅《ディーえき》がある。

母親《ははおや》たちは駅《えき》という駅《えき》は全部《ぜんぶ》あたってみた。しかし、どの駅《えき》にも立《た》ち寄《よ》った形跡《けいせき》はなかった。

「じゃ、車《くるま》かしら」

二十一人《にじゅういちにん》が一度《いちど》に移動《いどう》するとしたら、バスか、それともタクシーに分乗《ぶんじょう》したのか。バスの方《ほう》は営《えい》業所《ぎょうしょ》に問《と》い合《あ》わせてみたが、中学校《ちゅうがっこう》の近《ちか》くのバス停《てい》で、二十一人《にじゅういちにん》もの中学生《ちゅうがくせい》が乗《の》った事実《じじつ》はないという証言《しょうげん》を得《え》た。

タクシーで行《い》ったとすれば、これはわからない。

とにかく、夜《よる》になっても帰《かえ》ってこないようだったら異常事態《いじょうじたい》と考《かんが》えていい。そのときは警察《けいさつ》に届《とど》けようということで意見《いけん》が一致《いっち》し、それぞれの家《いえ》に戻《もど》った。

相原進学塾《あいはらしんがくじゅく》の電話《でんわ》が鳴《な》ったのは午後七時《ごごしちじ》だった。園子《そのこ》が飛《と》びつくようにして受話器《じゅわき》をとった。

いきなり男《おとこ》の声《こえ》がした。

「こんや午後七時《ごごしちじ》からFM《エフエム》放送《ほうそう》を行《おこな》う。ダイヤルを八八《はちじゅうはち》メガヘルツに合《あ》わせろ。いいか、八八《はちじゅうはち》メガヘルツだぞ」

書《か》いたものを読《よ》んでいるような無機質《むきしつ》な声《こえ》。

「もしもし、あなたはだれ？　徹《とおる》はどこにいるの？」

園子《そのこ》は、受話器《じゅわき》に向《む》かって喚《わめ》くように言《い》ったが、なんの答《こた》えも返《かえ》ってこないまま切《き》れてしまった。

しばらく受話器《じゅわき》の前《まえ》で放心《ほうしん》したように座《すわ》っていると、また電話《でんわ》が鳴《な》った。反射的《はんしゃてき》に受話器《じゅわき》に手《て》を伸《の》ばして耳《みみ》にあてる。

「私《わたし》、菊地《きくち》。いまおたくにFM《エフエム》放送聴《ほうそうき》けって電話《でんわ》なかった?」

詩乃《しの》の声《こえ》は、途中《とちゅう》でかすれた。

「あったわよ」

「何《なに》かしら?」

「さあ。なんのことだかさっぱりわからないわ」

「身代金《みのしろきん》の要求《ようきゅう》じゃないかしら」

「だって放送《ほうそう》するんでしょう。そんなことしたら、みんなに聞《き》かれちゃうじゃない」

「そうじゃないの。FM《エフエム》の八《はち》〇《じゅう》八《はち》メガヘルツというのはミニ放送《ほうそう》で、この近《ちか》くの人《ひと》しか聞《き》こえないの。おそらく、私《わたし》たち以外《いがい》聞《き》いている人《ひと》はいないわ」

そういえば、最近若者《さいきんわかもの》たちの間《あいだ》で、音楽《おんがく》やおしゃべり番組《ばんぐみ》を流《なが》す、ミニ局《きょく》が流行《はや》っているということを聞《き》いたことがある。

「でも、それだけで誘拐《ゆうかい》されたとは限《かぎ》らないわよ」

「あなたは楽天的《らくてんてき》すぎるわ」

「うちなんて食《た》べるだけがせいいっぱい。身代金《みのしろきん》なんて言《い》われたって、ビタ一文出《いちもんだ》せやしないわよ」

「そんな言《い》い方《かた》しないで」

詩乃《しの》は怒《おこ》ったように電話《でんわ》を切《き》ってしまった。

「なんだ、なんの電話《でんわ》だ？」

夫《おっと》の正志《まさし》が不安《ふあん》そうな顔《かお》を見《み》せた。園子《そのこ》は電話《でんわ》のいきさつを正志《まさし》に話《はな》した。

「ひょっとすると、二十一人《にじゅういちにん》は人質《ひとじち》にとられたかもしれんな」

「子《こ》どもジャック？」

「そうだ。身代金《みのしろきん》は一人一人《ひとりひとり》ではなく、二十一人《にじゅういちにん》まとめて、とんでもないものを要求《ようきゅう》してくるかもしれんぞ」

「でも、みんな無理矢理《むりやり》つれ去《さ》られたのではなさそうよ」

「そんなことは簡単《かんたん》さ。子《こ》どもなんて面白《おもしろ》いことを言《い》えば、けっこうついて行《い》ってしまうもんだ」

正志《まさし》は、いつになく厳《きび》しい表情《ひょうじょう》をした。

「中学生《ちゅうがくせい》よ」

「中学生《ちゅうがくせい》だろうと、高校生《こうこうせい》だろうと問題《もんだい》じゃない」

「考《かんが》えるのは、放送《ほうそう》を聴《き》いてからにしよう」

二十分《にじっぷん》ほどして、詩乃《しの》からまた電話《でんわ》があった。

「全員《ぜんいん》に例《れい》の電話《でんわ》があったらしいわ。七時《しちじ》の放送《ほうそう》を聴《き》いたら、あなたのところに集《あつ》まって対策《たいさく》を検《けん》討《とう》したいんだけれど、教室《きょうしつ》空《あ》いているかしら」

「ええ、いいわ。こんやはお休《やす》みだからどうぞいらしてくださいな」

園子《そのこ》は時計《とけい》を見《み》た。七時《しちじ》まであと八分《はちふん》。いったい何《なに》を言《い》い出《だ》すのか。考《かんが》えると胸《むね》が苦《くる》しくなってきた。

七時《しちじ》三分前《さんぷんまえ》に、ラジオのダイヤルをFM《エフエム》の八《はちじゅうはち》八メガヘルツに合《あ》わせた。まだなんの音《おと》もしない。

園子《そのこ》は、デジタル時計《どけい》の変化《へんか》する数字《すうじ》を追《お》いつづけた。7：00。

突然《とつぜん》、ラジオから音楽《おんがく》が流《なが》れ出《だ》した。ひどく陽《よう》気《き》で騒々《そうぞう》しい曲《きょく》だ。

「何《なに》？　これ」

「こいつはアントニオ猪木《いのき》のテーマ『炎《ほのお》のファイター』だ」

「猪木《いのき》って、プロレスの？」

「うむ」

正志《まさし》はうなずいた。正志《まさし》も徹《とおる》もアントニオ猪木《いのき》のファンで、この中継《ちゅうけい》のときだけは、二人並《ふたりなら》んでテレビにかじりついている。

――それにしても、なんだってプロレスなのだ。

音楽《おんがく》のボリュームが落《お》ちた。
『みなさんこんばんは。ただいまから解放区放送《かいほうくほうそう》
をお届《とど》けします』
またもや『炎《ほのお》のファイター』。それにかぶせる
ようにして詩《し》の朗読《ろうどく》が聞《き》こえてきた。
『生《い》きてる　生《い》きてる　生《い》きている
つい昨日《きのう》まで　悪魔《あくま》に支配《しはい》され
栄養《えいよう》を奪《うば》われていたが
今日《きょう》飲《の》んだ〝解放《かいほう》〟というアンプルで

今《いま》はもう　完全《かんぜん》に生《い》き返《かえ》った
そして今《いま》　バリケードの中《なか》で
生《い》きている
生《い》きてる　生《い》きてる　生《い》きている
今《いま》や青春《せいしゅん》の中《なか》に生《い》きている』

『こんばんはこれで終《お》わり。あすも午後《ごご》七時《じ》から放送《ほうそう》しますから、ぜひ八八《はちじゅうはち》メガヘルツにチャンネルを合《あ》わせてください。ではおやすみなさい』

放送《ほうそう》は唐突《とうとつ》に終《お》わってしまった。

「おい、これは徹《とおる》の声《こえ》じゃないか」

正志《まさし》が、大《おお》きな声《こえ》でどなった。

「まさか……」

「いや、まちがいない。たしかに徹《とおる》だ」

正志《まさし》と目《め》が合《あ》った。その目《め》が激《はげ》しく揺《ゆ》れている。

たしかに、これは紛《まぎ》れもない徹《とおる》の声《こえ》だ。

「どうして徹《とおる》が……？」

「わからん」

「脅迫《きょうはく》されて、喋《しゃべ》らされてるんだわ。そうよ、きっとそうよ」

園子《そのこ》は、自分《じぶん》に言《い》い聞《き》かせようとした。しかし、何《なに》かがおかしい。それは、この底抜《そこぬ》けの明《あか》るさなのだ。

3

相原徹《あいはらとおる》は、送信機《そうしんき》のスイッチを切《き》って、

「どうだった？」

とみんなの顔《かお》を見《み》た。

「ちょっと、固《かた》くなってたみたいだったぜ」

英治《えいじ》は、固《かた》くなっているのは、自分《じぶん》だって同《おな》じだと思《おも》いながら言《い》った。

「とうとうやったぜ」

宇野秀明《うのひであき》が、うわずった声《こえ》で言《い》った。

「シマリスちゃん、おっかねえのか?」

安永宏《やすながひろし》が挑発《ちょうはつ》するように宇野《うの》の顔《かお》をのぞきこんだ。シマリスというのは、小《ちい》さくて臆病《おくびょう》で、いつもちょこまかと動《うご》く宇野《うの》のあだなである。

「おっかねえもんか」

一四五《ひゃくよんじゅうご》センチの宇野《うの》は、一七〇《ひゃくななじゅっ》センチの安永《やすなが》を、見上《みあ》げるようにしてにらんだ。

部屋《へや》は、もと事務室《じむしつ》だったらしく、スチールデスクが二十《にじゅう》ほど、ほこりをかぶって並《なら》んでいる。その上《うえ》にろうそくが三本《さんぼん》立《た》っているだけだから、顔《かお》はほとんど影《かげ》になって見《み》えない。

「無理《むり》すんなよ。声《こえ》がふるえてるぜ」

みんな、火《ひ》がついたように笑《わら》い出《だ》した。

「からかうなよな」

日比野《ひびの》が言《い》った。日比野《ひびの》は一六〇《ひゃくろくじゅっ》センチ、七〇《ななじゅっ》キロ、宇野《うの》の体重《たいじゅう》の倍《ばい》はある。いつもおとなしくて、カバというあだなの日比野《ひびの》が、副番《ふくばん》の安永《やすなが》に、こんな口《くち》の利《き》き方《かた》をしたことに、みんな一瞬《いっしゅん》しんとなって成《な》り行《ゆ》きを見守《みまも》った。

「なんだカバ。おれにインネンつけようってのか？」

安永《やすなが》は、すごんでみせた。

「インネンつけるわけじゃないさ、こわいのはみんな同《おな》じなんだ」

日比野《ひびの》は、ゆっくりとした口調《くちょう》で言《い》った。

「おもしれえ、受《う》けて立《た》つぜ」

安永《やすなが》は、ボクシングのファイティングポーズをとると、日比野《ひびの》にこいと手招《てまね》きした。それが、ろうそくの炎《ほのお》で、壁《かべ》に大《おお》きな影《かげ》を映《うつ》した。英治《えいじ》は息《いき》をつめた。

「デスマッチ、一本勝負《いっぽんしょうぶ》。時間無制限《じかんむせいげん》」

天野《あまの》が、リングアナウンサーみたいな大声《おおごえ》を出《だ》した。将来《しょうらい》スポーツアナウンサーを目指《めざ》している天野《あまの》は、特《とく》にプロレスの実況中継《じっきょうちゅうけい》が得意《とくい》である。

「二人《ふたり》とも、どうかしてんじゃねえのか」

相原《あいはら》が二人《ふたり》の間《あいだ》に入《はい》った。

「おれたちがけんかする相手《あいて》は、おとなだってことを忘《わす》れちゃ困《こま》るぜ」

「そうか……。そうだったよな」

安永《やすなが》は、照《て》れくさそうに、ファイティングポーズをやめた。

安永《やすなが》のことだから、このままではすまないと思《おも》っていたのに、意外《いがい》にあっさりと引《ひ》き下《さ》がったことで、英治《えいじ》は肩《かた》の力《ちから》が脱《ぬ》けた。

「二人《ふたり》とも握手《あくしゅ》しろよ」

相原《あいはら》が言《い》うと、安永《やすなが》は素直《すなお》に手《て》を差《さ》し出《だ》した。

「わるかった。かんべんしてくれよな」

日比野《ひびの》は、その手《て》をおずおずと握《にぎ》りながら、

「おれも、ちょっと変《へん》だったよ」

「ちえッ。世紀《せいき》の決戦《けっせん》の実況《じっきょう》放送《ほうそう》をやってやろうと思《おも》ってたのに」

天野《あまの》は、いかにも残念《ざんねん》そうな顔《かお》をした。

その一言《ひとこと》で、それまでの緊張《きんちょう》がとけたのか、みんなはじけたように笑《わら》い出《だ》した。

「いいかみんな。ここはおれたちの解放区《かいほうく》。子《こ》どもだけの世界《せかい》だ。楽《たの》しくやろうぜ」

相原《あいはら》が言《い》うと、全員《ぜんいん》が「おーう」と叫《さけ》びながら、拳《こぶし》を突《つ》き上《あ》げた。

英治《えいじ》は、なんだかしらないけれど胸《むね》が熱《あつ》くなった。

六月《ろくがつ》の初《はじ》めのことだった。クラブ活動《かつどう》のサッカーを終《お》えた帰《かえ》り道《みち》、並《なら》んで歩《ある》いている相原《あいはら》が英治《えいじ》にぽつりと言《い》った。

「おれたちの解放区《かいほうく》をつくろうと思《おも》うんだけど、お前《まえ》、参加《さんか》しねえか」

「解放区《かいほうく》？」

英治《えいじ》は、自分《じぶん》より五《ご》、六《ろく》センチ上背《うわぜい》のある相原《あいはら》を、ちょっと見上《みあ》げるようにした。

「解放区《かいほうく》ってのはだな……」

夕陽《ゆうひ》に向《む》けた相原《あいはら》の顔《かお》が、燃《も》えるように赤《あか》い。

「おれたちがまだ生《う》まれる前《まえ》、大学生《だいがくせい》たちが権力《けんりょく》と闘《たたか》うために、バリケードで築《きず》いた地域《ちいき》のことさ」

「お前《まえ》、どうしてそんなこと知《し》ってんだ？」

「おれのおやじとおふくろは、大学時代《だいがくじだい》に機動隊《きどうたい》と闘《たたか》ったんだ。お前《まえ》んちのおやじだって、やったかもしれねえぜ」

「おれ、聞《き》いたことねえな」

「じゃあ、ノンポリだったんだ」

「ノンポリ？」

「お前《まえ》んちのおやじみたいに、学生運動《がくせいうんどう》には無関《むかん》心《しん》だった連中《れんちゅう》さ。だから、いい会社《かいしゃ》に入《はい》れたんだよ。おれんちなんか学生運動《がくせいうんどう》やったおかげで、就職《しゅうしょく》するとこねえから塾《じゅく》をはじめたんだ」

「損《そん》したな」

「そうでもねえみたい。でも、本心《ほんしん》はどうなのかな、やせ我慢《がまん》かもしれねえよ」

「権力《けんりょく》ってなんだ？」

英治《えいじ》は、相原《あいはら》にばかにされそうな気《き》がしたが、思《おも》い切《き》って聞《き》いてみた。

「政府《せいふ》とか警察《けいさつ》とか学校《がっこう》とか、要《よう》するにおとなたちさ」

「あんまり、よくわかんねえな。それで結局《けっきょく》どうなったんだ？」

「そりゃ負《ま》けたさ」

「なんだ負《ま》けたのか」

英治《えいじ》はがっかりした。

「負《ま》けたっていいのさ。やりたいと思《おも》ったことをやれば」

相原《あいはら》の顔《かお》は、いっそう赤《あか》く見《み》えた。

「どうしてだ？」

「お前《まえ》、セン公《こう》とか親《おや》とか、おとなたちのやることに満足《まんぞく》してるのか？　言《い》いたいことはねえのか？」

「言《い》いたいことはいっぱいあるさ。でも……」

「でも、なんだ？」

「しかたねえだろう」

「しかたねえとあきらめるのか？」

「だって、おれたちゃ子《こ》どもじゃんか」

「子《こ》どもは、なんでもおとなの言《い》うことを聞《き》かなくちゃなんねえのか？」

相原《あいはら》に、こういうふうにたたみかけられると、英治《えいじ》は、なんと答《こた》えていいかわからなくなる。

「おれたちだって、力《ちから》を合《あ》わせればおとなと闘《たたか》えるさ」

「そうかなあ」

英治《えいじ》には、とてもそんな自信《じしん》はない。

「そうさ。解放区《かいほうく》はおれたちの城《しろ》さ」

「そこで何《なに》をやるんだ？」

「子《こ》どもたちだけの世界《せかい》をつくるんだ」

「そんなことして、おとなたちが黙《だま》ってるかな？」

「黙《だま》ってねえさ、攻《せ》めてくるだろう。そうすりゃ追《お》っぱらえばいいじゃんか」

「ヤバくねえか?」

「ヤバイさ。だからおもしろいんだ」

相原《あいはら》の目《め》が、きらきらと輝《かがや》いている。

「やるか?」

英治《えいじ》は、夕陽《ゆうひ》に目《め》を向《む》けた。眩《まぶ》しくてすぐ目《め》を閉《と》じた。まぶたの裏《うら》で火花《ひばな》が散《ち》った。

なんだか、すばらしいことが起《お》こりそうな予感《よかん》がする。しかし、同時《どうじ》にヤバイことも起《お》きそうで不安《ふあん》だ。

「びびってんのか？」

「ちがう。考《かんが》えてんだ。中学《ちゅうがく》に入《はい》ってから、おもしろいことねえもんな」

「これからだってねえさ。だんだん、わるくなるばっかりだ」

「やるのは、いまでなくちゃいけねえのか？」

「いましかねえ」

「ほかに、だれがやるんだ？」

「お前《まえ》がはじめてさ。お前《まえ》がいやだって言《い》えば、この計画《けいかく》はパーだ」

「おれのほかに、だれをさそうつもりなんだ?」

「一年二組《いちねんにくみ》の男子全員《だんしぜんいん》さ」

「それは無理《むり》だよ」

「どうして?」

「そんなことやってたら、絶対偏差値《ぜったいへんさち》が下《さ》がっちゃうじゃんか。やる奴《やつ》は、どうみたって半分《はんぶん》だな」

「半分《はんぶん》じゃだめだ、全員《ぜんいん》でなくちゃ」

「やるのはいつだ？」

「一学期《いちがっき》が終《お》わったらすぐだ」

「夏休《なつやす》みか……」

「何《なに》か予定《よてい》があるのか」

英治《えいじ》は、母親《ははおや》の詩乃《しの》の顔《かお》を思《おも》い出《だ》した。このあいだ、夏休《なつやす》みになったら家族三人《かぞくさんにん》で、軽井沢《かるいざわ》へテニスをしに行《い》こうと言《い》われたばかりだ。すっぽかしたらなんと言《い》うだろう。

「こっちの方《ほう》が絶対《ぜったい》おもしろいぜ」

相原《あいはら》に見《み》つめられて、英治《えいじ》は反射的《はんしゃてき》にうなずいた。

「よし、じゃあ決《き》まった。あとは二人《ふたり》で手分《てわ》けして、みんなを仲間《なかま》にさそおうぜ」

相原《あいはら》の顔《かお》がすっかり明《あか》るくなった。

「解放区《かいほうく》の場所《ばしょ》はどこなんだ？」

「ほら、荒川《あらかわ》の河川敷《かせんしき》に区営《くえい》グランドがあるだろう。あそこから見《み》える荒川工機《あらかわこうき》って会社《かいしゃ》さ」

「会社《かいしゃ》なら社員《しゃいん》がいるじゃんか」

「それが、だれもいねえんだよ」

相原《あいはら》は、にやっとわらった。

「どうして？」

「一《いっ》か月前《げつまえ》につぶれたんだ。この間《あいだ》、塀《へい》を乗《の》りこえて中《なか》にもぐりこんで調《しら》べてみたのさ。あそこなら、すげえ砦《とりで》になるぜ」

――砦《とりで》。

インディアンに取《と》り囲《かこ》まれた砦《とりで》、その猛攻《もうこう》の前《まえ》に、味方《みかた》はばたばたと倒《たお》れてゆく。もうだめかと思《おも》ったとき、はるか地平線《ちへいせん》の彼方《かなた》から姿《すがた》をあらわす援軍《えんぐん》の騎兵隊《きへいたい》。

西部劇《せいぶげき》でよく見《み》るシーンだが、こんどの場合《ばあい》、はたして援軍《えんぐん》はやってくるのだろうか。

「いつまで立《た》てこもるんだ？」

「一週間《いっしゅうかん》はもっと思《おも》うぜ」

「食糧《しょくりょう》はどうするんだ？」

「それまでに、こっそり運《はこ》びこんでおくのさ。あそこは、電気《でんき》はつかえねえけど水《みず》は出《で》るから、携《けい》帯用《たいよう》のガスコンロを持《も》って行《い》けば、ちゃんと暮《く》らせるさ」

「電気《でんき》がないっていうと、夜《よる》は真《ま》っ暗《くら》か？」

「キャンプに行《い》ったと思《おも》えばいいだろう」

「おもしろくなりそうだな」

「おれたちだけで暮《く》らしてるのがどんなに楽《たの》しいか。それを、毎日解放区放送《まいにちかいほうくほうそう》で流《なが》してやるのさ。みんな、うらやましがるぜ」

「解放区放送《かいほうくほうそう》？」

「ほら、FM《エフエム》のミニ放送局《ほうそうきょく》があるだろう。あれさ。あれなら、別《べっ》に電気《でんき》はなくても放送《ほうそう》できるじゃんか」

「セン公《こう》やおとなたちの悪口《わるくち》も言《い》おうぜ」

「もちろんさ」

英治《えいじ》は、胸《むね》がわくわくしてきた。

決行日《けっこうび》の一週間前《いっしゅうかんまえ》、七月十三日午後《しちがつじゅうさんにちご》七時《しちじ》半《はん》。

曇《くも》っているせいか、月《つき》も星《ほし》もない夜《よる》だった。

荒川河川敷《あらかわかせんしき》の区営《くえい》グランドに集《あつ》まった男子生徒《だんしせいと》は、何度数《なんどかぞ》え直《なお》しても二十二人全員《にじゅうににんぜんいん》であった。

「信《しん》じられねえなぁ」

英治《えいじ》は、相原《あいはら》と顔《かお》を見合《みあ》わせた。相原《あいはら》は、大《おお》きくうなずいたまま何《なに》も言《い》わない。きっと、感動《かんどう》のあまり、声《こえ》が出《で》ないにちがいない。

相原《あいはら》と英治《えいじ》が、手分《てわ》けしてみんなをさそったとき、いやだと言《い》う者《もの》はいなかった。しかし、そうは言《い》っても実際《じっさい》にくる者《もの》はきっと減《へ》るだろうと思《おも》っていた。

それが全員集《ぜんいんあつ》まるとは。

「みんな、ちょっと聞《き》いてくれ」

相原《あいはら》が、黒《くろ》い影《かげ》のような塊《かたまり》に向《む》かって話《はな》しかける。

「この中《なか》に無理《むり》して参加《さんか》してるのがいたら、やめてもらってもいいんだぜ。それだからって、おれたちは仲間《なかま》はずれには絶対《ぜったい》しねえから」

「無理《むり》なんかしてねえよ。やりてえからやるんだ」

黒《くろ》い塊《かたまり》のあちこちで、そんな声《こえ》がした。

「勉強《べんきょう》がおくれるかもしれねえぜ」

英治《えいじ》が言《い》った。

「いいって、いいって」

すかさず、だれかが言《い》った。

「セン公《こう》ににらまれるぜ」

「セン公《こう》なんてメじゃねえよ」

「おふくろが泣《な》くぜ」

「勝手《かって》に泣《な》きゃいいだろう」

「よし。じゃあこれから一週間《いっしゅうかん》の間《あいだ》に、籠城《ろうじょう》に必要《ひつよう》なものを運《はこ》びこむことにする」

相原《あいはら》は、ズボンのポケットから手帳《てちょう》を取《と》り出《だ》すと、水銀灯《すいぎんとう》の明《あ》かりにかざした。

「まず第一《だいいち》に食糧品《しょくりょうひん》だけど、これは各自《かくじ》が一週《いっしゅう》間分《かんぶん》持《も》ってくること」

「そこ、冷蔵庫《れいぞうこ》あるのか？」

日比野《ひびの》が言《い》った。

「あるわけねえだろう。電気《でんき》もつかねえんだから、持《も》ってくるのは米《こめ》と乾《かん》パン。それに缶詰《かんづめ》だ」

「缶詰《かんづめ》なら、おれんちにいっぱいあるぜ」

柿沼《かきぬま》が言《い》った。

「そうか。お前《まえ》んちは医者《いしゃ》だから、みんなが持《も》ってくるんだな」

「そうさ。段《だん》ボール箱《ばこ》の二《ふた》つや三《みっ》つなら、持《も》ち出《だ》してもわかんねえよ」

「よし、そいつはいただきだ。ほかにも、家《いえ》にあまってるものがあったら持《も》ってきてくれ。食糧品《しょくりょうひん》のほかに、やかん、なべ、皿《さら》、携帯《けいたい》コンロ、しょうゆ、砂糖《さとう》、塩《しお》なんかもいる」

「風呂《ふろ》はもちろんねえだろうな」

「風呂《ふろ》はねえけどシャワーはある」

「えッ？　ほんとか？」

「ただし、水《みず》だ」

「なあんだ」

「そうだ。石鹸《せっけん》も持《も》って行《い》こう」

「運《はこ》びこむのはどうするんだ？」

「ほら、あそこに塀《へい》が見《み》えるだろう?」

相原《あいはら》は、堤防《ていぼう》に並《なら》ぶ工場《こうじょう》の一《ひと》つを指《ゆび》さした。

「あれが、おれたちの解放区《かいほうく》だ。あの塀《へい》から入《はい》れるんだ。ただし、これはセン公《こう》にもおとなにも秘《ひ》密《みつ》だからな。気《き》づかれないように行動《こうどう》してくれよ。もし、持《も》ち出《だ》すのがばれても、解放区《かいほうく》のことは絶《ぜっ》対《たい》に言《い》うな」

「わかってるって。だけど、女子《じょし》は知《し》ってるぜ」

日比野《ひびの》が言《い》った。

「女子《じょし》には話《はな》した。それはこういうことなんだ」

相原《あいはら》は、額《ひたい》の汗《あせ》を腕《うで》でこすった。

三日前《みっかまえ》のことである。相原《あいはら》と英治《えいじ》がサッカーの練習《れんしゅう》を終《お》えて帰《かえ》りかけたとき、水泳部《すいえいぶ》の中山《なかやま》ひとみがやってきて、

「男子《だんし》だけで何《なに》かしようとしてるでしょう？　おしえなさいよ」

と言《い》った。

「なんにもしねえよ。なあ」

相原《あいはら》は、英治《えいじ》の顔《かお》を見《み》て言《い》った。

「あなたたちがこそこそ動《うご》いてること、あたしたちにはちゃんとわかってるんだからね」

「それは、夏休《なつやす》みに遊《あそ》ぶ計画《けいかく》さ」

「じゃ、あたしたちも仲間《なかま》に入《い》れてよ」

いつの間《ま》にやってきたのか、堀場久美子《ほりばくみこ》がうしろにいた。久美子《くみこ》はスケ番《ばん》である。

「女《おんな》たちは入《い》れられねえよ」

「どうして？　入《はい》れない理由《りゆう》を言《い》いなよ」

「それはちょっと……」

「言《い》えないんならいいよ。そのかわりあたしたちは、男子生徒《だんしせいと》がおかしなことやろうとしてるって、セン公《こう》にチクるからね」

「密告《みっこく》はきたねえぜ」

「じゃ、言《い》いなよ」

相原《あいはら》は、空《そら》を見上《みあ》げてから大《おお》きく息《いき》を吸《す》いこんだ。

「言《い》ってもいいけど、絶対秘密《ぜったいひみつ》を守《まも》ってくれるか？」

「あったりまえじゃん。裏切《うらぎ》ったら髪《かみ》を切《き》ってもいいよ」

久美子《くみこ》は髪《かみ》を切《き》り落《お》とすまねをした。

「じゃ言《い》うぞ」

相原《あいはら》は、覚悟《かくご》を決《き》めたように、解放区計画《かいほうくけいかく》を話《はな》した。二人《ふたり》は息《いき》をつめるようにして聞《き》いていたが、

「楽《たの》しそうじゃん。あたしたちも仲間《なかま》に入《い》れて」

「だめだよ。男《おとこ》と女《おんな》がいっしょに立《た》てこもったら、おとなたちはなんて言《い》うと思《おも》う？」

「不純異性交遊《ふじゅんいせいこうゆう》？」

「それだけで、文句《もんく》なしにパクられちまうぜ」

「それはそうかもしれないけど、あたしたちをシカトするなんて許《ゆる》せないよ」

シカトとは無視《むし》することである。

「シカトはしねえさ。女子《じょし》にもやってもらいたいことがあるんだ」

「何《なに》よ」

「おれたちが中《なか》に立《た》てこもるだろう。すると外《そと》の様子《ようす》がわからねえ。それをおしえてもらいたいのさ」

「どうやっておしえるの？」

「それは、あとで考《かんが》えるよ」

二人《ふたり》は、それで納得《なっとく》して帰《かえ》って行《い》った。

「女《おんな》たちにしゃべって、秘密《ひみつ》が洩《も》れねえか」

と安永《やすなが》が心配《しんぱい》そうに言《い》った。

「大丈夫《だいじょうぶ》さ。あいつらは信用《しんよう》できる」

「そりゃ、中山《なかやま》と堀場《ほりば》は信用《しんよう》できるけど、女《おんな》ってのはいい子《こ》ちゃんが多《おお》いからな。チクるかもしれねえぜ」

「それはおれも考《かんが》えたさ。だから話《はな》すのは、橋口《はしぐち》純子《じゅんこ》だけにしといてくれと言《い》っといた。といっても、秘密《ひみつ》にしておくのは、おれたちが解放区《かいほうく》に立《た》てこもるまでの間《あいだ》だ」

「入《はい》っちまえば、秘密《ひみつ》もくそもねえか」

「そうさ」

相原《あいはら》はうなずいてから、

「谷本《たにもと》、お前《まえ》は外《そと》にいてくんねえか？」

と言《い》った。

「どうして？」

谷本《たにもと》は、眼鏡《めがね》を押《お》し上《あ》げるようにして言《い》った。

「お前《まえ》は、まだからだが治《なお》っちゃいねえじゃんか」

「もう大丈夫《だいじょうぶ》さ。ほら」

谷本《たにもと》は、松葉杖《まつばづえ》を脇《わき》に置《お》いたまま、ふらふらと立《た》ち上《あ》がった。

「わかった。お前《まえ》に外《そと》にいてもらいたいのは、からだのことだけじゃねえ。ほかにもやってもらいたいことがあるんだ」

相原《あいはら》は、谷本《たにもと》を座《すわ》らせた。

「なんだ？」

「お前《まえ》はエレクトロニクスの天才《てんさい》だ」

「天才《てんさい》はオーバーだよ」

谷本《たにもと》は、照《て》れくさそうにぼそぼそと言《い》った。

「謙遜《けんそん》するなよ。お前《まえ》はパソコンのソフトだってできるんだろう?」

「それはそうだけど、やさしいやつさ」

「やさしくたってすげえよ。なあ」

相原《あいはら》が言《い》うと、みんなうなずいた。谷本《たにもと》が一週間《しゅうかん》に二回《にかい》は秋葉原《あきはばら》に通《かよ》って、パソコンをいじっていることはみんな知《し》っている。谷本《たにもと》の勉強部《べんきょうべ》屋《や》ときたら、電気製品《でんきせいひん》で埋《う》まっている。だから、彼《かれ》のあだなはエレキングという。

将来《しょうらい》はコンピューターを研究《けんきゅう》したいと言《い》っているが、もしかすると、ノーベル賞《しょう》くらい取《と》れるかもしれない。

「おれたちは、お前《まえ》がつくってくれたFM発信機《エフエムはっしんき》で、あそこから解放区放送《かいほうくほうそう》をやる」

「電気《でんき》もないのに、放送《ほうそう》できんのか？」

日比野《ひびの》が聞《き》いた。

「あんなものは電池《でんち》でできるさ。ただし、一〇〇《ひゃく》メートルしか届《とど》かない」

谷本《たにもと》は、まるで技師《ぎし》みたいな口《くち》の利《き》き方《かた》をする。

「それは聞《き》いたよ。だから、一〇〇《ひゃく》メートルの間《かん》隔《かく》で、その放送《ほうそう》を受《う》けて、もう一度《いちど》発信《はっしん》すれば、大《おお》きなネットができるんだろう？」

「そういうことになる」

「どうやってやるんだ？」

安永《やすなが》が聞《き》いた。

「女子《じょし》にやってもらうのさ。といっても、彼女《かのじょ》たちはどうやっていいかわかんねえと思《おも》うんだ。そこでエレキングが必要《ひつよう》なんだよ」

相原《あいはら》がそこまで考《かんが》えていたとは、英治《えいじ》にとって驚異《きょうい》であった。とてもかなわないと思《おも》った。

「わかった。だけど、それだけじゃかったるいな」

谷本《たにもと》は、不満《ふまん》そうな顔《かお》をして見《み》せた。

「もちろん、やってもらいたいことはまだあるさ。おとなたちの様子《ようす》をさぐって、こっちへ報告《ほうこく》してもらいたいんだ」

「そんなことは簡単《かんたん》だ」

「さぐるって、盗聴《とうちょう》するんだぜ」

「ああ、わけないよ」

谷本《たにもと》は、いとも簡単《かんたん》に言《い》った。

「よし。これでおれたちは安心《あんしん》して籠城《ろうじょう》できるってもんだ。じゃあ、たのんだぜ」

「ああ、まかしとけ」

相原《あいはら》は、谷本《たにもと》とがっちり握手《あくしゅ》した。

4

「柿沼《かきぬま》の野郎《やろう》、とうとうこなかったじゃんか」

安永《やすなが》は、英治《えいじ》にはっきりと非難《ひなん》の眼差《まなざ》しを向《む》けた。まるで、お前責任《まえせきにん》取《と》れよと言《い》っているみたいなので、つい、目《め》をそらしてしまった。

「あいつは、裏切《うらぎ》るような奴《やつ》じゃないんだけどな」

知《し》らずに声《こえ》が小《ちい》さくなる。柿沼直樹《かきぬまなおき》の家《いえ》は産《さん》婦人科《ふじんか》の病院《びょういん》をやっている。英治《えいじ》はそこで生《う》まれたのだが、同《おな》じ日《ひ》に直樹《なおき》も生《う》まれた。誕生日《たんじょうび》がいっしょだというせいもあって、直《なお》樹《き》とは幼稚園《ようちえん》以来《いらい》の親友《しんゆう》である。将来《しょうらい》医者《いしゃ》になることを運命《うんめい》づけられている直樹《なおき》は、小《ちい》さいときから塾《じゅく》や家庭教師《かていきょうし》で勉強《べんきょう》したので、成績《せいせき》は英治《えいじ》よりはるかにいい。

解放区《かいほうく》には、おそらく参加《さんか》しないと思《おも》ったのに、一《いち》も二《に》もなく賛成《さんせい》した。あんまり張《は》り切《き》り過《す》ぎるので、英治《えいじ》の方《ほう》が心配《しんぱい》になってきたくらいだ。

その柿沼《かきぬま》が……。

「じゃ、どうしてこねえんだ?」

「それは……」

そんなこと、英治《えいじ》にも答《こた》えようがない。

「もしかしてあいつ、親《おや》たちにチクっていねえかな」

「それは絶対《ぜったい》にない。信《しん》じてくれよ」

英治《えいじ》は、必死《ひっし》になって柿沼《かきぬま》をかばった。みんなの顔《かお》がろうそくの炎《ほのお》に揺《ゆ》れて、なんだか別人《べつじん》になったみたいに意地《いじ》わるく見《み》える。

「まあいいさ。こない奴《やつ》はしかたねえ。それより、もうそろそろ八時半《はちじはん》だろう。橋口純子《はしぐちじゅんこ》から連絡《れんらく》がある時間《じかん》だ。屋上《おくじょう》に上《あ》がろうぜ」

相原《あいはら》が助《たす》け船《ぶね》を出《だ》してくれたので、英治《えいじ》はやれやれと思《おも》った。

相原《あいはら》はろうそくの火《ひ》を三本《さんぼん》とも吹《ふ》き消《け》した。部屋《へや》の中《なか》が真《ま》っ暗《くら》になって、何《なに》も見《み》えなくなった。

一分《いっぷん》、二分《にふん》。目《め》が闇《やみ》になれてくると、みんなの姿《すがた》がぼんやりと見《み》えはじめた。しかし、顔《かお》はわからないので、なんだか変《へん》な気持《きも》ちだ。

「足《あし》もとに気《き》をつけて、ゆっくり歩《ある》け」

相原《あいはら》の声《こえ》がしたかと思《おも》うと、肩《かた》に大型《おおがた》のスポーツバッグをひっかけて、そこだけ切《き》り取《と》ったように明《あか》るい、窓《まど》に向《む》かって歩《ある》き出《だ》した。英治《えいじ》はすぐあとにつづいた。

「懐中電灯《かいちゅうでんとう》をつかえばいいじゃんか?」

だれかが言《い》った。

「だめだ。闇《やみ》になれるんだよ。懐中電灯《かいちゅうでんとう》をつかうのは、どうしても必要《ひつよう》なときだけだ」

窓際《まどぎわ》まで行《い》った相原《あいはら》は、手《て》さぐりでドアーをあけた。

「ここは非常口《ひじょうぐち》だ。ここから非常階段《ひじょうかいだん》で屋上《おくじょう》まで上《のぼ》るけれど、急《きゅう》だから一人《ひとり》ずつゆっくりこいよ」

英治《えいじ》は、相原《あいはら》につづいて外《そと》へ出《で》た。外《そと》の方《ほう》が生《なま》暖《あたた》かい。このビルは四階《よんかい》で、いまいる事務室《じむしつ》は二《に》階《かい》にあるので、下《した》へ降《お》りる非常階段《ひじょうかいだん》は傾斜《けいしゃ》が急《きゅう》になっている。

空《そら》は街《まち》の明《あ》かりを反映《はんえい》してか意外《いがい》に明《あか》るい。非《ひ》常《じょう》階段《かいだん》に足《あし》を乗《の》せると、きしんだ音《おと》を立《た》てた。

「痛《いて》えッ」

うしろでだれかの悲鳴《ひめい》がした。

「どうした?」

相原《あいはら》が聞《き》いた。

「椅子《いす》をひっかけてころんじゃったんだよ」

「だから気《き》をつけろと言《い》っただろう。これからは、何《なに》があっても大《おお》きい声《こえ》を出《だ》すなよ。外《そと》に聞《き》こえるとヤバいからな」

相原《あいはら》は、早《はや》いスピードで上《のぼ》って行《い》く。みる間《ま》に三階《さんかい》の踊《おど》り場《ば》を通《とお》り過《す》ぎた。四階《よんかい》の踊《おど》り場《ば》までやってくると、立《た》ち止《ど》まって下《した》を見《み》おろした。英《えい》治《じ》もそれにならった。

みんな黙々《もくもく》として上《のぼ》ってくる。まるで樹《き》の幹《みき》を登《のぼ》る蟻《あり》の列《れつ》のようだ。

屋上《おくじょう》は、バレーボールができそうな広《ひろ》さだった。

周囲《しゅうい》は高《たか》さが一《いち》メートルくらいの鉄柵《てっさく》になっている。

両隣《りょうどなり》は工場《こうじょう》で、東側《ひがしがわ》にK《ケー》駅《えき》があり、繁華街《はんかがい》になっている。ここからだと、一《いち》キロ以上《いじょう》あるはずなのに、光《ひかり》の海《うみ》がすぐ近《ちか》くに見《み》える。

南側《みなみがわ》は隅田川《すみだがわ》があるはずなのだが、隣《となり》の工場《こうじょう》の屋根《やね》が、すっかり蔽《おお》い隠《かく》してしまっている。

西側《にしがわ》も工場《こうじょう》が立《た》ち並《なら》んでいるが、その建物《たてもの》の間《あいだ》から、隅田川《すみだがわ》の川面《かわも》がわずかに光《ひか》っている。

北側《きたがわ》にまわった。ここからは荒川《あらかわ》の河川敷《かせんしき》が一《いち》望《ぼう》に見《み》おろせる。すぐ右下《みぎした》に見《み》えるのがN橋《エヌはし》。車《くるま》のライトが、いつ途切《とぎ》れるともなくつらなっている。

「おい、合図《あいず》してるぞ」

英治《えいじ》が指《ゆび》さす方《ほう》をみんなが見《み》た。河川敷《かせんしき》にあるグランドの中央《ちゅうおう》あたりで、ライトが明滅《めいめつ》している。

相原《あいはら》は、持《も》ってきたスポーツバッグからトランシーバーを出《だ》すと、アンテナを伸《の》ばし耳《みみ》にあてた。

「こちらナンバー1《ワン》、どうぞ」

『了解《りょうかい》。こちらナンバー33《スリー・スリー》。解放区放送《かいほうくほうそう》よく聞《き》こえました。どうぞ』

ナンバー1《ワン》というのは相原《あいはら》の番号《ばんごう》で、33は橋口《はしぐち》純子《じゅんこ》である。純子《じゅんこ》の声《こえ》は、ボリュームをいっぱいに上《あ》げても聞《き》きとりにくい。英治《えいじ》は、トランシーバーに顔《かお》を寄《よ》せた。

「そちらの反響《はんきょう》を聞《き》かせてください。どうぞ」

『その前《まえ》に聞《き》きますが、柿沼君《かきぬまくん》そっちにいますか？　どうぞ』

「いません、どうぞ」

『やっぱり……』

純子《じゅんこ》の声《こえ》が途切《とぎ》れた。

「もしもし、柿沼《かきぬま》がどうしたんですか？　どうぞ」

『柿沼君《かきぬまくん》は誘拐《ゆうかい》されたんです』

「柿沼《かきぬま》が誘拐《ゆうかい》された……？」

相原《あいはら》が大《おお》きい声《こえ》を出《だ》したので、みんながいっせいに注目《ちゅうもく》した。

「ほんとか？　どうぞ」

『ほんとよ。うちのママが柿沼君《かきぬまくん》ちへ入院《にゅういん》してるでしょう。いま大騒《おおさわ》ぎよ』

「なんだ、また子《こ》どもが生《う》まれるのか？」

『そうよ』

「何人目《なんにんめ》だ？」

『七人目《しちにんめ》』

「うへぇ」

『おどろくでしょう。うちのパパとママは神《かみ》さま信《しん》じてるから、できた子《こ》どもは絶対《ぜったい》おろさないのよ』

「じゃ、まだ生《う》むつもりなのか？」

『うん。兄弟《きょうだい》で野球《やきゅう》チームをつくるんだっていうから参《まい》っちゃうんだ』

橋口純子《はしぐちじゅんこ》の家《いえ》は、来々軒《らいらいけん》という中華料理屋《ちゅうかりょうりや》である。中華料理《ちゅうかりょうり》といっても、できるのはラーメン、チャーハン、ギョーザくらいのものである。

兄弟《きょうだい》の多《おお》い純子《じゅんこ》は、普通《ふつう》の家《いえ》みたいに正月《しょうがつ》や誕《たん》生日《じょうび》におこづかいはもらえない。おこづかいが欲《ほ》しければ労働《ろうどう》をしなければならない。長女《ちょうじょ》の純子《じゅんこ》は、学校《がっこう》から帰《かえ》るとすぐ店《みせ》に出《で》て働《はたら》く。出前《でまえ》にも行《い》くし、赤《あか》ん坊《ぼう》のおむつも替《か》える。掃除《そうじ》や洗濯《せんたく》はお手《て》のものだ。働《はたら》くことが何《なに》より好《す》きな純子《じゅんこ》は、高校《こうこう》へは進《しん》学《がく》せずに家《いえ》を手伝《てつだ》うのだそうだ。いつも勉強《べんきょう》に追《お》い立《た》てられ、偏差値《へんさち》が頭《あたま》から離《はな》れない英治《えいじ》を、かわいそうだと言《い》ってくれる。純子《じゅんこ》と話《はな》していると、気持《きも》ちがのんびりして明《あか》るくなる。だから彼女《かのじょ》が好《す》きだ。

英治《えいじ》は相原《あいはら》の脇腹《わきばら》をつついた。

「柿沼《かきぬま》が誘拐《ゆうかい》されたことがどうしてわかったんだ？　どうぞ」

『身代金《みのしろきん》を寄《よ》こせっていう電話《でんわ》がかかってきたんだって』

「いくらだ？　どうぞ」

『千七百万円《せんななひゃくまんえん》』

「ずいぶんはんぱだな」

『払《はら》わなければ殺《ころ》すってさ』

「殺《ころ》す？」

　相原《あいはら》の顔《かお》がこわばった。英治《えいじ》も首筋《くびすじ》に鳥肌《とりはだ》が立《た》ってきた。

『そうよ。ひどいでしょう』

「警察《けいさつ》には言《い》ったのか？　どうぞ」

『まだみたい』

「どうして？」

『あなたたち男子生徒全員《だんしせいとぜんいん》がいなくなったでしょう。だからみんなで騒《さわ》いでたのよ、そこへ誘拐《ゆうかい》だっていうんで、全員《ぜんいん》が誘拐《ゆうかい》されたと思《おも》ってるようよ』

「おれたち全員《ぜんいん》が誘拐《ゆうかい》されたって？　笑《わら》わしちゃいけねえぜ」

みんなが、肩《かた》をたたきながら笑《わら》いころげている。

『みんな笑《わら》ってるみたいね。だけど、こっちは笑《わら》いごとじゃないのよ。どうする？』

「どうするって、いまさら中止《ちゅうし》するわけにはいかねえよ。解放区《かいほうく》に立《た》てこもったばかりだから。あしたの放送《ほうそう》で、おれたちは関係《かんけい》ないことを言《い》やいいんだろう?」

『そうだけど、柿沼君《かきぬまくん》どうする?』

「どうするって言《い》われてもなあ」

『このまま、ほうっておくつもりなの? どうぞ』

純子《じゅんこ》の声《こえ》が険《けわ》しくなった。

相原《あいはら》が言《い》いよどんでいると、「助《たす》けてやろうぜ」という声《こえ》がした。とたんにみんなが、「そうだ、そうだ」と口《くち》ぐちに言《い》い出《だ》した。

「どうするか、これから方法《ほうほう》をみんなで相談《そうだん》するよ」

『いいわよ。柿沼君《かきぬまくん》のことはあたしたちにまかせて』

「あたしたちにって、女子《じょし》にか？」

『そうよ。あたしたちだって、柿沼君《かきぬまくん》が殺《ころ》されるかもしれないのに、みすみす指《ゆび》くわえて見《み》てられないよ』

「言《い》ってくれるぜ。おれ、見《み》なおしたぜ」

『女子《じょし》だって、やるときはやるんだからね』

「わかったよ。じゃ、あしたの朝八時《あさはちじ》に連絡《れんらく》して
くれないか。どうぞ」

『了解《りょうかい》。菊地君《きくちくん》に替《か》わって』

「OK《オーケー》、おい菊地《きくち》、彼女《かのじょ》からだ」

相原《あいはら》は、トランシーバーを英治《えいじ》にわたした。

「もしもし」

『英《えい》ちゃん、元気《げんき》？』

「元気《げんき》さ」

『頑張《がんば》ってね』

「うん」

『じゃあ、バイバイ』

純子《じゅんこ》の明《あか》るい声《こえ》が消《き》えた。もっと話《はな》したかったのに、どうしてこんなに早《はや》く切《き》ってしまったのだ。

「菊地《きくち》はいいなあ。心配《しんぱい》してくれる彼女《かのじょ》がいて」

日比野《ひびの》がうらやましそうに言《い》った。

「彼女《かのじょ》がほしかったら、もっと減量《げんりょう》しろよ」

安永《やすなが》が言《い》うと、みんながどっと笑《わら》った。

「笑《わら》ってる場合《ばあい》じゃねえだろう。柿沼《かきぬま》は誘拐《ゆうかい》されたんだぜ」

相原《あいはら》は、きびしい顔《かお》で言《い》うと、橋口純子《はしぐちじゅんこ》との会話《かいわ》の内容《ないよう》をみんなに説明《せつめい》した。

「おとなってのは、だから信用《しんよう》できねえんだよな。子《こ》どもを誘拐《ゆうかい》して金《かね》を奪《うば》おうなんて、やり方《かた》がきたねえよ」

安永《やすなが》が、唇《くちびる》をとがらせて言《い》った。

「女子《じょし》だけにまかしとくのはヤバイと思《おも》うぜ」

英治《えいじ》は、しゃべりながらも不安《ふあん》が次第《しだい》にふくれあがってきた。

「警察《けいさつ》に言《い》うのかな?」

「わかんねえ」

「ポリ公《こう》が動《うご》いたらもっとヤバイぜ。テレビで見《み》たけど、そういうとき犯人《はんにん》は、大抵《たいてい》警察《けいさつ》に言《い》ったら命《いのち》はないって言《い》うんだろう」

日比野《ひびの》の顔《かお》もこわばっている。

「おれたちで、何《なん》かやれねえかな？」

「こんなときに誘拐《ゆうかい》されるなんて、奴《やつ》もついてねえよ。おれたちはここから出《で》るわけにいかねえんだもんな」

「おれたちの解放区《かいほうく》。一時中止《いちじちゅうし》にしたら……」

宇野秀明《うのひであき》が、口《くち》の中《なか》でつぶやくように言《い》った。

宇野《うの》は、家《いえ》に帰《かえ》りたくなったのかもしれない。

「お前《まえ》、帰《かえ》りたければ帰《かえ》れよ」

相原《あいはら》が言《い》った。

「そういう意味《いみ》で言《い》ったんじゃないんだ」

宇野《うの》は、慌《あわ》てて首《くび》を左右《さゆう》に振《ふ》った。

「助《たす》ける方法《ほうほう》はないことはないさ」

中尾和人《なかおかずと》が、落《お》ち着《つ》いた声《こえ》でぽつりと言《い》った。

みんなが中尾《なかお》の方《ほう》に視線《しせん》を向《む》けた。

眼鏡《めがね》をかけて小柄《こがら》な中尾《なかお》は、英治《えいじ》と同《おな》じサッカー部《ぶ》である。練習《れんしゅう》は熱心《ねっしん》なのだが、もって生《う》まれた運動神経《うんどうしんけい》のにぶさのためか、いっこうに上達《じょうたつ》せず、ドジばかりやっている。

しかし成績《せいせき》の方《ほう》は、別《べつ》に塾《じゅく》に行《い》くわけでもないのにトップであった。英治《えいじ》はだから、相原《あいはら》とは別《べつ》の意味《いみ》で、ひそかに中尾《なかお》を尊敬《そんけい》している。

「あすの朝八時《あさはちじ》、橋口《はしぐち》と連絡《れんらく》するだろう。そのときこう言《い》えばいいんだ」

相原《あいはら》は、食《く》い入《い》るように中尾《なかお》の口《くち》もとを見《み》つめている。

「誘拐犯人《ゆうかいはんにん》に金《かね》をわたす前《まえ》に、柿沼《かきぬま》が無事《ぶじ》でいることをたしかめたい。そのために柿沼《かきぬま》の手紙《てがみ》をほしい。そう言《い》えば、犯人《はんにん》だってきっと柿沼《かきぬま》に手紙《てがみ》くらい書《か》かせてくれると思《おも》うんだ」

「手紙《てがみ》に何《なん》か書《か》こうとしたって、犯人《はんにん》もちゃんと調《しら》べるだろう」

「そりゃもちろんさ。だけど柿沼《かきぬま》のことだから、手紙《てがみ》をよこせと言《い》えば、犯人《はんにん》にはわからない暗号《あんごう》で書《か》いてくるはずだ」

「そうか、そういえば柿沼《かきぬま》は暗号《あんごう》の天才《てんさい》だった」

英治《えいじ》は思《おも》わず手《て》をたたいた。

「ほかに、だれかいい案《あん》があるか？」

相原《あいはら》は、みんなの顔《かお》を見《み》わたした。

「中尾《なかお》の案《あん》でやってみようぜ」

英治《えいじ》が言《い》うと、みんながそれに賛成《さんせい》した。

「じゃ、そうしよう」

「みんな、空《そら》を見《み》てみろ。星《ほし》がきれいだぜ」

立石剛《たていしつよし》がだしぬけにそう言《い》うと、仰向《あおむ》けにひっくりかえった。つられて英治《えいじ》も、仰向《あおむ》けになって空《そら》を仰《あお》いだ。英治《えいじ》は、このところ星《ほし》なんて見《み》たこともない。天《あま》の川《がわ》が見《み》えた。首《くび》が痛《いた》くなったので、立石《たていし》と並《なら》んで寝《ね》た。

それがきっかけになったのか、まるでドミノみたいに、みんなつぎつぎとひっくりかえった。

「まず北《きた》の空《そら》を見《み》ろよ。あそこにあるのが北極《ほっきょく》星《せい》だ。これはだれでも知《し》ってるだろう」

立石《たていし》の家《いえ》は三代《さんだい》つづく花火屋《はなびや》で、立石《たていし》も小学《しょうがっ》校《こう》のときから、父親《ちちおや》の花火《はなび》の打《う》ち上《あ》げについて行《い》かされたのだそうだ。

星《ほし》に強《つよ》くなったのは、そうやっていつも夜空《よぞら》を見上《みあ》げていたからで、クラスでは星《ほし》の王子《おうじ》さまというあだながついている。

「こぐま座《ざ》はわかるな。それに北斗七星《ほくとしちせい》も」

「わかるさ」

あちこちで声《こえ》がした。

「では南《みなみ》を見《み》よう。銀河《ぎんが》の中《なか》を見《み》てくれ。真上《まうえ》に近《ちか》いところでよく光《ひか》っている星《ほし》があるだろう？」

「あった」

英治《えいじ》は思《おも》わず大《おお》きな声《こえ》を出《だ》した。

「あれがはくちょう座《ざ》のデネブだ。そこから右《みぎ》の方《ほう》を見《み》ると、やはり光《ひか》っている星《ほし》がある。これがこと座《ざ》のベガだ。わかるか？」

「わかる」という声《こえ》と、「わかんねえよ」という声《こえ》が交錯《こうさく》した。

「この二《ふた》つの星《ほし》を底辺《ていへん》にして二等辺三角《にとうへんさんかく》をつくるんだ。光《ひか》ってる星《ほし》があるだろう。それがわし座《ざ》のアルタイルだ」

「わかった。あれだろう？」

英治《えいじ》は手《て》を伸《の》ばして、指《ゆび》さした。

「そうだよ。あの三《みっ》つの星《ほし》をつないで、夏《なつ》の大三《だいさん》角《かく》っていうんだ。ほら、七夕《たなばた》で牽牛《けんぎゅう》と織女《おりひめ》ってのがあるだろう？」

「七月七日《しちがつなのか》の夜《よる》、二人《ふたり》が一年《いちねん》に一度《いちど》だけ会《あ》えるってあれだろう？」

「その牽牛《けんぎゅう》がアルタイルで、織女《おりひめ》がベガさ」

「そうか、あれがそうか……」

星《ほし》を眺《なが》めていると、解放区《かいほうく》のことも誘拐《ゆうかい》のことも、みんな消《け》しゴムで消《け》したみたいに、きれいになくなってゆく。

「やがて、おれたちみんながいなくなっても、星《ほし》はああやって輝《かがや》いているんだぜ」

立石《たていし》が言《い》うと、みんなしんとしてしまった。

背中《せなか》に触《ふ》れるコンクリートの温《あたた》かさが気持《きも》ちよかった。

二日《ふつか》　説得工作《せっとくこうさく》

1

英治《えいじ》は、窓《まど》の明《あか》るさで目《め》がさめた。周囲《しゅうい》の様子《ようす》がいつもと変《か》わっている。おやっと思《おも》った。

——そうか。ここは家《いえ》ではなかったのだ。

もとは会議室《かいぎしつ》だったのだろうか。三階《さんかい》にあるこの部屋《へや》には、長《なが》テーブルと折《お》りたたみ椅子《いす》がいくつもあった。それを全部《ぜんぶ》廊下《ろうか》に運《はこ》び出《だ》し、床《ゆか》にビニールの防水《ぼうすい》シートを敷《し》いて、そのうえで全員《ぜんいん》がごろ寝《ね》したのだ。

英治《えいじ》にとっても、おそらくみんなにとっても、こういう経験《けいけん》ははじめてである。最初《さいしょ》のうちは、背中《せなか》が痛《いた》くてなかなか寝《ね》つけなかった。もちろん、はじめて解放区《かいほうく》に立《た》てこもった夜《よる》ということで興奮《こうふん》もしていた。

解放区《かいほうく》より、ブラックホールの方《ほう》がいいと言《い》ったのは立石《たていし》だ。プロレス狂《きょう》の天野《あまの》は、ワンダーランドの方《ほう》がいいと言《い》った。安永《やすなが》は荒川城《あらかわじょう》にしろよと言《い》った。

みんなで、夜《よる》おそくまでしゃべり合《あ》い、そのうち疲《つか》れて眠《ねむ》ってしまった。横《よこ》を見《み》ると、宇野秀《うのひで》明《あき》が背中《せなか》を丸《まる》めて、おだやかな寝顔《ねがお》を見《み》せていた。宇野《うの》の過保護《かほご》ママはクラスでも有名《ゆうめい》である。みんなに淋《さび》しくないかとひやかされて、ついに泣《な》き出《だ》してしまった。あれは少《すこ》しかわいそうだった。不安《ふあん》なのはみんな同《おな》じだった。だから宇野《うの》をからかって、自分《じぶん》の気持《きも》ちをまぎらわそうとしたのだ。

英治《えいじ》は、そっと起《お》き上《あ》がって部屋《へや》を出《で》た。廊下《ろうか》は薄暗《うすぐら》く静《しず》まりかえっている。階段《かいだん》を降《お》りる自分《じぶん》の足音《あしおと》がぺたぺたと頼《たよ》りなく、汚《よご》れたコンクリートの壁《かべ》にひびく。まるで監獄《かんごく》みたいだ。

外《そと》へ出《で》ると明《あか》るさが目《め》にしみる。わずかな空地《あきち》を隔《へだ》てて工場《こうじょう》がある。この空地《あきち》がこれからみんなの広場《ひろば》なのだ。

ビルの脇《わき》に消火栓《しょうかせん》があって、そこから水《みず》がちょろちょろと洩《も》れて、広場《ひろば》のアスファルトにしみをつくっている。

これは防火用《ぼうかよう》の消火栓《しょうかせん》で、ホースのつなぎ方《かた》もわかった。これがあるおかげで、体《からだ》も洗《あら》えるし、炊事《すいじ》もできる。トイレには、バケツに一杯水《いっぱいみず》を入《い》れて持《も》って行《い》くことにした。

英治《えいじ》は、水《みず》を両手《りょうて》で受《う》けると顔《かお》を洗《あら》い、口《くち》をゆすいだ。タオルを持《も》ってくるのを忘《わす》れたので、顔《かお》を拭《ふ》くことができない。このまま乾《かわ》かそうと思《おも》って、空《そら》に顔《かお》を向《む》けた。

雲《くも》ひとつない空《そら》。朝《あさ》が早《はや》いせいか、色《いろ》はまだ淡《あわ》いブルーだ。深呼吸《しんこきゅう》をした。だれかが走《はし》ってくる足音《あしおと》がした。ふり向《む》くと相原《あいはら》だった。

「もう起《お》きてたのか?」

「目《め》がさめちゃったんで、中《なか》をひとまわりしてきたんだ」

相原《あいはら》が、英治《えいじ》に解放区《かいほうく》をつくろうと言《い》い出《だ》したとき、なんとなくおもしろそうだというので賛《さん》成《せい》した。仲間《なかま》をもっとふやそうと声《こえ》をかけてみたが、集《あつ》まるのはせいぜい五《ご》、六人《ろくにん》だろうと思《おも》っていたのに、中尾《なかお》や小黒《おぐろ》みたいに、勉強《べんきょう》しか興味《きょうみ》がないと思《おも》っている連中《れんちゅう》まで、仲間《なかま》に入《い》れてくれと言《い》い出《だ》した。

そしてとうとう、クラスの男子生徒全員《だんしせいとぜんいん》が立《た》てこもるという大袈裟《おおげさ》なものになってしまった。なぜだろう？　みんな英治《えいじ》と同《おな》じように、何《なに》かやりたかったのだ。

それがいまはっきりとわかって、みんなは立《た》ち上《あ》がったのだ。

――そうさ。子《こ》どもはおとなのミニチュアじゃないんだ。自分《じぶん》たちの思《おも》いどおりになると思《おも》っていたら大《おお》まちがいだ。それを、はっきりと思《おも》い知《し》らせてやるぜ。

相原《あいはら》の顔《かお》は、心《こころ》なしか蒼《あお》ざめて見《み》える。いくら朝《あさ》でも、この広《ひろ》い工場《こうじょう》の中《なか》を、一人《ひとり》で歩《ある》くのは薄《うす》気味《きみ》わるかったのかもしれない。

「お前《まえ》、よく一人《ひとり》で歩《ある》けるな。勇気《ゆうき》あるよ」

「それがだよ」

相原《あいはら》は、目《め》を大《おお》きく見開《みひら》いて英治《えいじ》を見《み》た。

「どうしたんだ？」

「おれたち、きのうみんなでこの中《なか》を見《み》てまわったよな」

「うん」

「そのとき、どこにもだれもいなかったよな」

相原《あいはら》は念《ねん》を押《お》した。

「いなかった」

「ところが、いたんだよ。人間《にんげん》が……」

相原《あいはら》の頬《ほお》が、緊張《きんちょう》のためかぴくりと痙攣《けいれん》した。

英治《えいじ》は、顔《かお》から血《ち》が引《ひ》いてゆくのが自分《じぶん》でもわかった。

「おどかすなよ」

「おどかしてなんかいねえよ。ほんとなんだ」

相原《あいはら》がこんな真剣《しんけん》な表情《ひょうじょう》をするのははじめてだ。

「うそだと思《おも》うなら、いっしょに行《い》ってみるか？」

「いいよ。お前《まえ》がそう言《い》うなら信《しん》じるよ」

英治《えいじ》は、とても見《み》に行《い》く気《き》にはなれない。

「行《い》ってみようぜ。おれもちょっと見《み》ただけで、びっくりして逃《に》げてきちゃっただろう。生《い》きてるか死《し》んでるかもわかんねえんだ」

「死《し》んでる？」

声《こえ》が勝手《かって》にふるえ出《だ》した。

「行《い》こうぜ」

相原《あいはら》はそう言《い》うと、先《さき》に立《た》って歩《ある》き出《だ》した。ここで逃《に》げたら、相原《あいはら》に軽蔑《けいべつ》されることは目《め》に見《み》えている。英治《えいじ》はあとにつづいた。

相原《あいはら》は、英治《えいじ》が出《で》てきたビルに入《はい》って行《い》く。一《いっ》階《かい》は車庫《しゃこ》と、製品《せいひん》の積《つ》み出《だ》しをしていたのであろうか、いまは何《なに》もないがらんどうである。前方《ぜんぽう》の入口《いりぐち》には、鉄《てつ》のシャッターがおりているので中《なか》は薄暗《うすぐら》い。

入口《いりぐち》の近《ちか》くに小部屋《こべや》があった。もとは守衛《しゅえい》の詰《つめ》所《しょ》か、それとも宿直室《しゅくちょくしつ》なのか。

「あそこだよ」

と相原《あいはら》は指《ゆび》さした。相原《あいはら》の歩《ある》き方《かた》が忍《しの》び足《あし》になった。英治《えいじ》も、音《おと》を立《た》てないようにそのあとにつづく。

部屋《へや》にはガラス窓《まど》があった。相原《あいはら》は顔《かお》をつけてのぞきこむと、後《うし》ろから近《ちか》づく英治《えいじ》の頭《あたま》をかかえるようにして、ガラス窓《まど》に押《お》しつけた。英治《えいじ》には、ちょっと高《たか》さが足《た》りないので、中《なか》が見《み》えない。近《ちか》くから木《き》ぎれを拾《ひろ》ってきてその上《うえ》に乗《の》った。

「な、いるだろう」

相原《あいはら》の押《お》し殺《ころ》した声《こえ》が耳《みみ》のはたでした。たしかに男《おとこ》が一人寝《ひとりね》ている。

「生《い》きてると思《おも》うか、死《し》んでると思《おも》うか？」

部屋《へや》の中《なか》は、外《そと》よりいっそう暗《くら》く、男《おとこ》の表情《ひょうじょう》も見《み》えない。

「わかんねえ。だけど、きのうここはたしかに見《み》たぜ」

「たしかにいなかったよな」

「そうすると、おれたちが寝《ね》てる間《あいだ》に入《はい》ってきたんだから生《い》きてるさ」

こんなあたりまえのことが、相原《あいはら》はどうしてわからないのだ。

「それはそうだけど、奴《やつ》はどこから入《はい》ってきたんだ？　お前《まえ》だってわかってるだろう。おれたちがここへ入《はい》るときは、縄《なわ》ばしごを堤防側《ていぼうがわ》の塀《へい》にかけて乗《の》り越《こ》えてきたんだ」

「ほかに入口《いりぐち》があるんじゃねえのか」

「絶対《ぜったい》ない。おれは徹底的《てっていてき》に調《しら》べたんだ」

「おかしいな。じゃお化《ば》けか？」

英治《えいじ》は相原《あいはら》の顔《かお》を見《み》た。そのとき、乗《の》っていた木《き》ぎれから足《あし》がはずれて、派手《はで》な音《おと》を立《た》てて床《ゆか》に転《ころ》げた。

「痛《いて》えッ」

思《おも》わず悲鳴《ひめい》をあげた。相原《あいはら》が指《ゆび》を唇《くちびる》にあてたが
もうおそい。

「起《お》きたぞ。生《い》きてる」

「どうする?」

英治《えいじ》は逃《に》げ腰《ごし》になった。

「会《あ》おう」

「みんなを呼《よ》んできてからの方《ほう》がいいんじゃねえ
のか?」

「大丈夫《だいじょうぶ》さ」

相原《あいはら》が言《い》ったとき、ドアーがあいて男《おとこ》が顔《かお》を出《だ》した。薄汚《うすよご》れてしわだらけの顔《かお》。髪《かみ》は白《しろ》いのだろうが、いまは灰色《はいいろ》になっている。どう見《み》ても浮浪《ふろう》者《しゃ》といった風体《ふうてい》だ。

「お前《まえ》たち、どこからやってきた？」

意外《いがい》に穏《おだ》やかな声《こえ》だ。

「それより、おじいさんこそ、どこからやってきたんだ？」

相原《あいはら》は胸《むね》をそらすようにして、逆《ぎゃく》に聞《き》きかえした。英治《えいじ》の方《ほう》は、足《あし》が勝手《かって》にふるえ出《だ》して、止《と》まらなくなってしまった。

「おじいさんだと？　お前《まえ》たちいくつだ？」

「中一《ちゅういち》だよ」

「中一《ちゅういち》か。わしにもそのくらいの孫《まご》がいる」

「おじいさん、この工場《こうじょう》の人《ひと》？」

「ちがう。関係《かんけい》ない」

「じゃ、どうして泊《と》まってるんだい？」

「泊《と》まりたいから泊《と》まっているんだ」

「家《いえ》はないの？」

「あるさ、ずっと遠《とお》くに」

「どうしてそこに住《す》まないの？」

「息子《むすこ》とけんかして出《で》てきたんだ」

「それからずっとここに住《す》んでるの？」

「そうだ」

老人《ろうじん》は、ちょっと淋《さび》しそうに目《め》を伏《ふ》せた。英治《えいじ》にも静岡《しずおか》におじいさんとおばあさんがいる。それを思《おも》い出《だ》して、なんだかかわいそうになってきた。

「だけど、きのうおれたちがやってきたときには
いなかったじゃん」

「きのうは、夜《よる》おそく帰《かえ》ってきたんだ」

「どこから入《はい》ってきたの？」

「お前《まえ》たちこそ、どこから入《はい》ってきた？」

「おれたちは、塀《へい》を乗《の》り越《こ》えたのさ」

「二人《ふたり》でか？」

「ちがう、二十人《にじゅうにん》だよ」

英治《えいじ》は、二十人《にじゅうにん》というところを、ことさらはっきりと言《い》った。

「二十人《にじゅうにん》だと……？」

老人《ろうじん》は、口《くち》を半《なか》ばあけたまま、二人《ふたり》の顔《かお》を見《み》つめた。

「お前《まえ》たち、ここで何《なに》をするつもりなんだ？」

「おれたちの解放区《かいほうく》をつくるためさ」

「解放区《かいほうく》？」

老人《ろうじん》は目《め》をしばたたかせた。

「おとなにじゃまされない、子《こ》どもたちだけの城《しろ》さ」

「そんなこと、おとなが許《ゆる》すわけないだろう。ばかなことを考《かんが》えるな」

「許《ゆる》さなかったら、戦《たたか》うだけさ」

「戦《たたか》うだと……？　勝《か》てると思《おも》っとるのか？」

「負《ま》けるつもりで戦《たたか》う奴《やつ》はいねえよ」

「あきれた連中《れんちゅう》だな」

警戒的《けいかいてき》だった老人《ろうじん》の目《め》が、すっかり柔和《にゅうわ》になった。

「おじいさん、どうやって入《はい》ってきたのかおしえてくんないか」

相原《あいはら》が食《く》いさがった。

「ついてこい」

老人《ろうじん》は先《さき》に立《た》って歩《ある》き出《だ》すと、ビルの外《そと》へ出《で》た。

そのまま真《ま》っ直《す》ぐ広場《ひろば》の隅《すみ》まで行《い》って、マンホールのふたを指《ゆび》さした。

「ここだ」

「ここから入《はい》ってきたの？」

「そうだ」

「だって、この下《した》は下水道《げすいどう》なんだろう？」

英治《えいじ》が聞《き》いた。

「そのとおり」

「下水道《げすいどう》を歩《ある》いてくることができるの？」

「できるさ。ここをおりてしばらく行《い》くと本管《ほんかん》に出《で》る。そこは立《た》って歩《ある》けるほどの大《おお》きさだ」

「下水道《げすいどう》って、どぶねずみがいるんじゃないのかな」

「そりゃいるさ。猫《ねこ》ぐらいの大《おお》きさのやつが」

英治《えいじ》は、もう少《すこ》しで、声《こえ》をあげるところだった。

「下水道《げすいどう》を通《とお》ってどこへ行《い》くの?」

「南《みなみ》へ三〇〇《さんびゃく》メートルほど歩《ある》いて上《うえ》へあがると、中学《ちゅうがく》の近《ちか》くにある児童公園《じどうこうえん》の、ブランコの下《した》に出《で》られる」

「ええッ。あのブランコなら乗《の》ったことあるぜ。そういえばマンホールがあった」

「へえ。そんなところへ出《で》られるのか」

相原《あいはら》は、首《くび》を振《ふ》って感心《かんしん》した。

「おじいさん、どうしてそのことを知《し》ってるの?」

「わしは、二十年前《にじゅうねんまえ》までこの会社《かいしゃ》で働《はたら》いていたからさ」

「その秘密《ひみつ》の抜《ぬ》け穴《あな》のこと、おじいさんのほかに知《し》ってる人《ひと》いる?」

「おらん。あの当時《とうじ》でも知《し》っとるのはわし一人《ひとり》だった。ましていまなんか、だれ一人知《ひとりし》るわけないさ」

「そうか。いいことを聞《き》いちゃったぞ」

相原《あいはら》は、両手《りょうて》を握《にぎ》りしめてガッツポーズをとった。

2

起床《きしょう》は六時《ろくじ》ということになっていたので、その時間《じかん》になると、みんなぞろぞろとビルから出《で》てきた。

六時《ろくじ》二十分《にじっぷん》から五十分《ごじっぷん》までは早朝《そうちょう》トレーニン

グ。それから十分《じっぷん》で朝食《ちょうしょく》を食《た》べ、七時《しちじ》には終《お》わるというのが、相原《あいはら》のたてたタイムスケジュールである。

敵《てき》と戦《たたか》うには、まず体力《たいりょく》をつけなければだめだ。広場《ひろば》に出《で》てきた二十人《にじゅうにん》は、二列《にれつ》に向《む》かい合《あ》って並《なら》ぶと、片方《かたほう》が仰向《あおむ》けに寝《ね》て、もう一方《いっぽう》が足首《あしくび》を押《お》さえた。

「では、いまから腹筋運動《ふっきんうんどう》をはじめる」

サッカー部《ぶ》の相原《あいはら》と英治《えいじ》がリーダーである。

「何回《なんかい》やるんだ？」

全員《ぜんいん》身《み》につけているのはパンツだけだが、その中《なか》でも宇野《うの》は、ことさらひょろ長《なが》い。その宇野《うの》が心細《こころぼそ》い声《こえ》で言《い》った。

「百回《ひゃっかい》だ」

「百回《ひゃっかい》？」

肥《ふと》った日比野《ひびの》は、頭《あたま》のてっぺんから出《で》たかと思《おも》うような声《こえ》で言《い》った。

「ほんとは二百回《にひゃっかい》と言《い》いたいところだが、みんなまだ素人《しろうと》だからおまけさ」

相原《あいはら》が腹筋運動《ふっきんうんどう》を二百回《にひゃっかい》やるのはうそではない。腕立《うでた》て伏《ふ》せもらくに百回《ひゃっかい》やる。

「ではじめ。一《いち》、二《に》、三《さん》、四《し》、五《ご》……」

最初《さいしょ》の十回《じゅっかい》くらいはみんな元気《げんき》がいい。しかし、二十回《にじゅっかい》をこえるともう脱落者《だつらくしゃ》が出《で》はじめ、結局七十回《けっきょくななじゅっかい》で全員《ぜんいん》ダウンしてしまった。

「しようがねえなぁ。では、つぎは腕立《うでた》て伏《ふ》せ五十回《ごじゅっかい》」

「冗談《じょうだん》じゃねえよ。そんなことしたら、一日《いちにち》でがたがたになっちまうぜ」

腹筋運動八回《ふっきんうんどうはちかい》でダウンした日比野《ひびの》が言《い》った。

「お前《まえ》が、いちばんやらなくちゃいけねえんだ。さあはじめろ。おい菊地《きくち》、気《き》を抜《ぬ》いてる奴《やつ》は尻《しり》を踏《ふ》んづけてやれ」

腕立《うでた》て伏《ふ》せでは、小柄《こがら》の中尾《なかお》が意外《いがい》に強《つよ》く、最《さい》後《ご》は一人《ひとり》だけになって、とうとう五十回《ごじゅっかい》やってしまった。

「すげえ。お前《まえ》って勉強《べんきょう》ができるだけじゃねえんだな」

日比野《ひびの》が呆《あき》れたように言《い》うと、中尾《なかお》はすっかり照《て》れた。

「からだが軽《かる》いからさ」

そのあと、工場《こうじょう》の内側《うちがわ》を塀《へい》に沿《そ》ってジョギングを五周《しゅう》した。一周《いっしゅう》が二〇〇《にひゃく》メートルくらいあるから、これで約一《やくいち》キロ走《はし》ったことになる。

終《お》わって広場《ひろば》に戻《もど》ると、さっきまで日陰《ひかげ》だったあたりは、もう半分《はんぶん》ほど朝陽《あさひ》が射《さ》しこんで、蒸《む》し暑《あつ》くなりかけていた。

だれも汗《あせ》びっしょりである。相原《あいはら》は、消火栓《しょうかせん》にホースをつなぐと、みんなの頭《あたま》から水《みず》をぶっかけた。

「冷《つめ》てえ」

悲鳴《ひめい》をあげながら、その場《ば》で跳《と》びはねた。

「さてみなさん。お待《ま》ちかねの朝食《ちょうしょく》です。料理長《シェフ》は日比野《ひびの》」

日比野《ひびの》はみんなに向《む》かって頭《あたま》を下《さ》げた。

「献立《こんだ》てを言《い》えよ」

「えーと、献立《こんだ》てはフランスパン二切《ふたき》れに、ジャムとチーズ。それにサラミソーセージと二〇〇CC《にひゃくシーシー》の缶牛乳《かんぎゅうにゅう》」

「デザートはなんだ？」

「デザートは、ミカンの缶詰《かんづめ》を二人《ふたり》で一缶《いっかん》。これで終《お》わり」

「モーニングコーヒーはねえのか？」

「ぜいたく言《い》うなよ。ここは喫茶店《きっさてん》じゃねえんだ」

みんなで運《はこ》びこんだ食料品《しょくりょうひん》は、缶詰《かんづめ》、乾《かん》パン、インスタント食品《しょくひん》など、一《いっ》か月《げつ》は十分《じゅうぶん》もつほどの量《りょう》があるが、無駄《むだ》にはできない。

運動《うんどう》したあと、みんなで食《た》べる食事《しょくじ》だからまずいはずはない。

「宇野《うの》、お前牛乳《まえぎゅうにゅう》を飲《の》まねえのか?」

日比野《ひびの》は、自分《じぶん》の牛乳《ぎゅうにゅう》を一息《ひといき》に飲《の》み干《ほ》すと、まだ手《て》をつけていない、宇野《うの》の缶牛乳《かんぎゅうにゅう》に目《め》をやった。

「おれ、牛乳《ぎゅうにゅう》はあんまり好《す》きじゃねえんだ」

「じゃ、いただき」

言《い》うが早《はや》いか、缶牛乳《かんぎゅうにゅう》に手《て》を伸《の》ばして、派手《はで》な音《おと》を立《た》てて飲《の》んだ。

「だれか、残《のこ》したものがあったら、なんでもいいからおれのところに持《も》ってきてくれ」

日比野《ひびの》は、みんなの顔《かお》を見《み》まわした。

「みなさん、アフリカの飢《う》えたカバを救《すく》うために、愛《あい》のお恵《めぐ》みを」

天野《あまの》が立《た》ち上《あ》がると、帽子《ぼうし》をとってみんなの間《あいだ》をまわった。チーズの食《た》べかけやサラミで、たちまちいっぱいになった。天野《あまの》は、それを日比野《ひびの》のところに持《も》って行《い》った。

「みなさん、ありがとう」

日比野《ひびの》がみるみるたいらげてゆくのを、みんなは、呆《あき》れて声《こえ》も出《だ》さずに眺《なが》めていた。

「さあみんな、腹《はら》がふくれたところで話《はなし》を聞《き》いてくれ」

相原《あいはら》は、すっかりリーダーらしくなった。これは英治《えいじ》にとっておどろきだった。

「一《ひと》つは、誘拐《ゆうかい》された柿沼《かきぬま》のことだけど、これは、どうしてもおれたちの手《て》で救《すく》い出《だ》したいと思《おも》うんだ」

「そうだよ。おとなにまかしといたら殺《ころ》されちゃうぞ」

「もう殺《ころ》されてんじゃねえのか」

「縁起《えんぎ》のわるいこと言《い》うなよ」

「柿沼《かきぬま》んちはいいよな、千七百万円《せんななひゃくまんえん》くらい平気《へいき》で出《だ》してくれるから。おれんちだったら、百万《まん》だってだめだな」

日比野《ひびの》が言《い》った。

「お前《まえ》なんか、だれも誘拐《ゆうかい》しねえよ。こんなに食《く》われたんじゃ、もとがとれねえよ」

安永《やすなが》が言《い》うと、みんながいっせいに笑《わら》い出《だ》した。

「みんな、もう少《すこ》しマジになってくれよな。柿沼《かきぬま》の命《いのち》がかかってるんだぜ」

相原《あいはら》のひと声《こえ》で、全員《ぜんいん》がしゅんとなった。

「だけど、柿沼《かきぬま》はいまどこにいるかわかんねえんだろう？　これじゃ助《たす》けようがねえじゃねえか」

安永《やすなが》が口《くち》をとがらした。

「だからいまのところは、中尾《なかお》がきのう言《い》ったみたいに、柿沼《かきぬま》からの手紙《てがみ》を待《ま》つしかねえんだ」

「もし、手紙《てがみ》で何《なに》も言《い》ってこなかったらどうするんだよ」

「そのときは、もうアウトだ」

相原《あいはら》は、顔《かお》の前《まえ》に両手《りょうて》で✕をつくった。

「それと、柿沼《かきぬま》がどこにいるかわかったって、おれたちはここにいるんだろう。それでどうやって助《たす》けられるんだ？」

「そのことなんだけど、実《じつ》はけさ、おれと菊地《きくち》はここで老人《ろうじん》に会《あ》ったんだ」

「ここにだれかいたのか？」

相原《あいはら》と英治《えいじ》の顔《かお》を、みんなが凝視《ぎょうし》した。

「いたんだよ」

英治《えいじ》は大《おお》きくうなずいた。

「だって、きのうはいなかったぜ。なあ」

安永《やすなが》はみんなの方《ほう》を見《み》て言《い》った。

「そうさ。きのうはいなかった。夜入《よるはい》ってきたんだ」

「どこから？　入口《いりぐち》はなかったはずだぜ」

「お化《ば》けだあ」

宇野《うの》が言《い》った。

「お化《ば》けじゃねえ。実《じっ》は秘密《ひみつ》の抜《ぬ》け穴《あな》があったんだよ」

相原《あいはら》の顔《かお》に注《そそ》ぐみんなの目《め》が輝《かがや》いた。

「どこにあるんだ？」

「あそこさ。あのマンホールだ」

相原《あいはら》は、広場《ひろば》の隅《すみ》にあるマンホールを指《ゆび》さした。

「あのふたをあけて下《した》へおりると、そこは下水道《げすいどう》だ。それを南《みなみ》に向《む》かって歩《ある》いて行《い》くと、学校《がっこう》のそばの児童公園《じどうこうえん》に出《で》られるんだって」

「へえ。こいつはおどろきだぜ」

吉村賢一《よしむらけんいち》が、女《おんな》みたいに甲高《かんだか》い声《こえ》を出《だ》したので、みんなどっと笑《わら》った。

「秘密《ひみつ》の抜《ぬ》け穴《あな》があったとは、おもしろいことになってきたな」

中尾《なかお》は、こんなときでも落《お》ち着《つ》いている。

「そこで、みんなに考《かんが》えてもらいたいんだ。その老人《ろうじん》をどうするか?」

相原《あいはら》は、順《じゅん》に顔《かお》を見《み》た。安永《やすなが》のところまでくると、

「ここは、おれたちの解放区《かいほうく》なんだ。おとながい

るのはまずいぜ。出《で》て行《い》ってもらおうじゃねえか」

とにべもなく言《い》った。

「だけど、あのじいさん、おれたちがくるより前《まえ》から、ここを住《す》みかにしていたんだぜ。追《お》い出《だ》しちまうってのはどうかな」

「おい菊地《きくち》、いい子《こ》ぶるんじゃねえよ。おれは、じじいとかばばあってのは嫌《きら》いなんだ。汚《きた》ねえつらして、もたもたと歩《ある》きやがって、ああいう連《れん》中《ちゅう》は、世《よ》の中《なか》から消《き》えちまった方《ほう》がいいんだ。そのうえ、こんなところに住《す》んでいるとなりゃ浮浪《ふろう》者《しゃ》だろう。ゴミはかたづけた方《ほう》がいい。きまってるじゃねえか」

安永《やすなが》は一気《いっき》にまくしたてた。

「たしかにおれたちは、おとなと戦《たたか》うために解放《かいほう》区《く》をつくったんだ。だけど、老人《ろうじん》はおとなとはちがうと思《おも》うんだ」

相原《あいはら》の声《こえ》は冷静《れいせい》である。

「どうちがうんだ？　子《こ》どもでなけりゃ、おとなじゃねえのか。な、そうだろう?」
安永《やすなが》に見《み》つめられた宇野《うの》は、「うん、そうだよ」
と何度《なんど》もうなずいて見《み》せた。
「あの老人《ろうじん》は、息子《むすこ》に家《いえ》を追《お》い出《だ》されたんでここ
で寝泊《ねと》まりしてるんだ」
「そりゃ、じじいなんてだれだっていやさ。役立《やくた》
たずで、邪魔《じゃま》になるだけじゃねえか。追《お》い出《だ》すの
はあたりまえだ」
「人間《にんげん》、年《とし》をとればみんな役立《やくた》たずになるさ。そ

れに、役立《やくた》たずといや、おれたち子《こ》どもだってそうじゃねえか」

「子《こ》どもは別《べつ》さ。親《おや》は子《こ》どもを育《そだ》てる義務《ぎむ》があるんだ」

「子《こ》どもだって、大《おお》きくなったら親《おや》の面倒《めんどう》を見《み》る義務《ぎむ》があると思《おも》うぜ」

「それは親《おや》によりけりだ。おれは、おやじが弱《よわ》ってきたら、そのときこそ、こてんぱんにやっつけてやる」

安永《やすなが》の父親《ちちおや》は大工《だいく》だが、酒《さけ》とばくちが好《す》きで、気《き》の向《む》いたときしか働《はたら》きに行《い》かない。それで母親《ははおや》が文句《もんく》を言《い》うと、すぐになぐるということだった。

「やっぱ、老人《ろうじん》はおとなとはちがうよ。弱《よわ》いものいじめはしたくねえな」

立石剛《たていしつよし》が言《い》った。中尾《なかお》が重《かさ》ねて、

「それに、そのじいさんがいなけりゃ、秘密《ひみつ》の出《で》口《ぐち》はわかんねえんだろう」

「そうさ」と相原《あいはら》がうなずいた。

「じゃ、じいさんは必要《ひつよう》じゃないか。老人《ろうじん》の知《ち》恵《え》ってのは、ばかにならないもんだぜ」

「よし。じゃあじいさんを追《お》い出《だ》さない方《ほう》がいいと思《おも》う者《もの》は手《て》を挙《あ》げてくれ」

安永《やすなが》と宇野《うの》を除《のぞ》く全員《ぜんいん》が手《て》を挙《あ》げた。

「どうだ、安永《やすなが》。賛成《さんせい》してくれるか?」

相原《あいはら》は、安永《やすなが》の顔《かお》をのぞきこむようにして見《み》た。

「いいよ。みんながいいっていうなら、おれは反《はん》対《たい》しねえ」

安永《やすなが》がふてくされたように言《い》うと、宇野《うの》も「おれも」とつづけた。全員《ぜんいん》が拍手《はくしゅ》した。

「菊地《きくち》、じいさんをつれてこいよ」

英治《えいじ》は、それを聞《き》くや否《いな》や、一散《いっさん》にビルに走《はし》りこんだ。一瞬《いっしゅん》、暗《くら》くて何《なに》も見《み》えなくなった。ゆっくり歩《ある》きながら、

「おじいさん」

と奥《おく》に向《む》かって呼《よ》んだ。

「なんだ。きまったのか?」

間《ま》のびした返事《へんじ》がかえってきた。

「きまったよ。おじいさんもいっしょに暮《く》らしてもらうことになったんだ。ちょっと、みんなに挨《あい》拶《さつ》してくれない」

英治《えいじ》は、老人《ろうじん》を追《お》い出《だ》さなくてすんだことで、喜《よろこ》びが胸《むね》の奥《おく》から突《つ》き上《あ》げてきて、言葉《ことば》が途切《とぎ》れがちになる。

「よし、わかった」

老人《ろうじん》の姿《すがた》があらわれた。ゆっくりとこちらにやってくる。

「よかったね、おじいさん」

英治《えいじ》はつい言《い》ってしまってから、これは少《すこ》し変《へん》かなと思《おも》った。

ビルから老人《ろうじん》が姿《すがた》をあらわすと、いっせいに拍《はく》手《しゅ》がおこった。老人《ろうじん》は、いかにも照《て》れくさそうな笑顔《えがお》を見《み》せた。

「みなさん、わしは瀬川卓蔵《せがわたくぞう》と申《もう》します。年《とし》は七十歳《ななじゅっさい》です。よろしく」

瀬川《せがわ》がひょいと頭《あたま》を下《さ》げると、みんなも、それにつられたように頭《あたま》を下《さ》げた。

「さっき聞《き》いたところによると、諸君《しょくん》はおとなたちと戦《いくさ》をするそうだね」

「ぼくたちは、ここに子《こ》どもの解放区《かいほうく》をつくったのです。おとなたちが攻《せ》めてこなければ戦《たたか》いません」

中尾《なかお》が言《い》った。

「おとなたちは必《かなら》ずつぶしにくる。それはまちがいない」

「ほんとに？」

吉村《よしむら》が不安《ふあん》そうに瞬《まばた》きした。

「攻《せ》めてくるとも。連中《れんちゅう》は、いつも自分《じぶん》たちのやることは正《ただ》しいと思《おも》っとるからな。ところで諸君《しょくん》は、戦《いくさ》をしたことがあるか？　もちろんないな」

みんな、黙《だま》ってうなずくしかなかった。

「敵《てき》に勝《か》つためには、戦略《せんりゃく》と戦術《せんじゅつ》が必要《ひつよう》だ」

「戦略《せんりゃく》と戦術《せんじゅつ》とどうちがうんですか？」

日比野《ひびの》が聞《き》いた。

「戦術《せんじゅつ》というのは戦《いくさ》のやり方《かた》だ。戦略《せんりゃく》というのははかりごとだ。わしはこう見《み》えても、若《わか》いころほんとうの戦《いくさ》に行《い》ったことがあるから、味方《みかた》にすればたのもしいぞ」

それまで、しなびたきゅうりみたいだった老人《ろうじん》の顔《かお》が、一瞬《いっしゅん》輝《かがや》いて見《み》えた。

「あんたとおとなとどこがちがうのか。そこんところを説明《せつめい》してもらわねえと、味方《みかた》といわれても信用《しんよう》できねえんだよ」

安永《やすなが》が、斜《しゃ》にかまえて言《い》った。

「たしかに君《きみ》の言《い》うとおり、わしも、おとなであることはまちがいない。ただし、わしはおとなの落《お》ちこぼれだ」

「じゃ、おれといっしょじゃねえか」

「そうだ。だから、おとなに対《たい》して、君《きみ》と同《おな》じ気《き》持《も》ちになれるんだ」

「そういうことか。わかったよ」

安永《やすなが》は、あっさりと納得《なっとく》した。

「みんな、このわしの左手《ひだりて》を見《み》てくれ。それから

この腹《はら》を……」

瀬川《せがわ》は、左手《ひだりて》を高《たか》くさし上《あ》げてから、シャツを

めくって腹《はら》を見《み》せた。左手《ひだりて》は四本《よんほん》の指《ゆび》がなく、腹《はら》

にはひきつれたような痕《あと》がある。

「この指《ゆび》は、戦争《せんそう》に行《い》って、爆弾《ばくだん》でふっ飛《と》ばされ

たんだ。この腹《はら》の傷《きず》も、そのとき破片《はへん》があたって

できたもんだ」

「痛《いた》かっただろうな?」

宇野《うの》が眉《まゆ》をひそめた。

「ところが、不思議《ふしぎ》に痛《いた》さは感《かん》じないんだ。なんだか、熱《あつ》い鉄《てつ》の塊《かたまり》を押《お》しつけられたような感《かん》じだったな。そこでふっと見《み》たら、指《ゆび》がなくなってたってわけだ」

みんな、四本《よんほん》の指《ゆび》がない手《て》をみつめたまま息《いき》を飲《の》んだ。

「しかし、わしはこれでも運《うん》がよかったんだ」

「どうしてですか？」

何人《なんにん》かが同時《どうじ》に聞《き》いた。

「その戦闘《せんとう》で生《い》き残《のこ》ったのは、小隊九十人《しょうたいきゅうじゅうにん》のうち半分《はんぶん》だった」

「あとはみんな死《し》んじゃったの？」

「死《し》んだ。わしは、そのけがで傷痍軍人《しょういぐんじん》になって帰《かえ》ってきたが、そのとき生《い》き残《のこ》った者《もの》は、輸送《ゆそう》船《せん》でフィリピンに送《おく》られる途中《とちゅう》、潜水艦《せんすいかん》に沈《しず》められて全員戦死《ぜんいんせんし》してしまった」

「全員《ぜんいん》？」

英治《えいじ》は、喉《のど》に何《なに》かがひっかかったような感《かん》じになった。

「わしらは、小学校《しょうがっこう》に入《はい》ったときから、大《おお》きくなったら、お国《くに》のために命《いのち》を投《な》げ出《だ》すよう教《おし》えられてきた。だから戦争《せんそう》に行《い》くのは当《あ》たり前《まえ》と思《おも》っていた」

「こわくなかった？」

日比野《ひびの》が聞《き》いた。

「そりゃ、こわかったさ。だれだって、死《し》ぬのはいやだ」

「じゃ、言《い》うことを聞《き》かなければいいのに」

「それができんのだよ」

「どうして？　わかんねえなあ」

吉村《よしむら》がまた甲高《かんだか》い声《こえ》を出《だ》した。

「いまとはちがう世《よ》の中《なか》だったんだ。二度《にど》とあんな世《よ》の中《なか》にしちゃいけねえ」

「どうしたらいいんですか？」

「えらい奴《やつ》が、立派《りっぱ》なことを言《い》うときは、気《き》をつけた方《ほう》がいい」

「じゃ、総理大臣《そうりだいじん》が言《い》ったら」

中尾《なかお》が聞《き》いた。

「あぶねえ、あぶねえ。政治家《せいじか》が子《こ》どものことに口出《くちだ》しして、ろくなことはねえ。ほら、最近言《さいきんい》ってるだろう。少女雑誌《しょうじょざっし》に有害《ゆうがい》なのがあるとか」

「おれたち、クラスの女《おんな》の子《こ》が持《も》ってくるから、みんなで読《よ》んでるけど、あれのどこが有害《ゆうがい》なのかな」

立石《たていし》が言《い》った。

「あんなの、どうってことねえじゃねえか。黒人《こくじん》のポコチンが、硬《かた》くて長《なが》いってんだろう」

「でかいのは、ビールびんくらいあるんだって」

「ほんとか？」

明《あか》るい笑《わら》い声《ごえ》が、広場《ひろば》を満《み》たした。

「おとなって、どうして子《こ》どもにうるさく言《い》うのかな？」

「そりゃ、いいおとなにしたいからさ」

「いいおとなって何《なに》?」

「えらい人《ひと》の言《い》うことをよく聞《き》く人間《にんげん》だ」

「それがいいおとな? バッカじゃねえのか」

3

八時五分前《はちじごふんまえ》。

全員《ぜんいん》が屋上《おくじょう》に上《のぼ》った。太陽《たいよう》は、隣《となり》のビルから離《はな》れて、ぎらぎらと照《て》りつけている。たちまち汗《あせ》が吹《ふ》き出《だ》してきた。

「おい、あれ谷本《たにもと》じゃねえか」

秋元《あきもと》は、視力《しりょく》が二《に》・〇《てんれい》というだけあって、見《み》つけるのが早《はや》い。英治《えいじ》は鉄柵《てっさく》から顔《かお》を出《だ》した。

たしかに、男《おとこ》と女《おんな》がこちらに向《む》かって歩《ある》いてくる。顔《かお》ははっきりとわからないが、女《おんな》は橋口《はしぐち》純《じゅん》子《こ》にちがいない。男《おとこ》の方《ほう》は、軽《かる》く足《あし》を引《ひ》きずっている。

「もしもし、こちらナンバー1《ワン》。応答《おうとう》ねがいます」

相原《あいはら》は、トランシーバーで呼《よ》びかけた。

『こちらナンバー14。みんな元気《げんき》ですか？　どうぞ』

谷本《たにもと》の元気《げんき》のいい声《こえ》が流《なが》れてきた。

「こっちは元気《げんき》だ。お前《まえ》歩《ある》いていいのか？」

『いいさ。おれもそっちへ行《い》きたいよ』

「お前《まえ》は、外《そと》にいてくれた方《ほう》がいいんだ。柿沼《かきぬま》の様子《ようす》を聞《き》かせてくれよ。どうぞ」

『ナンバー33に替《か》わったわ。きのうの夜《よる》、誘拐犯《ゆうかいはん》人《にん》から電話《でんわ》があったわよ』

純子《じゅんこ》と谷本《たにもと》の姿《すがた》が、肉眼《にくがん》でもはっきり見《み》えるようになった。

「なんて言《い》ってきた？」

『きょうの午前九時《ごぜんくじ》、身代金受《みのしろきんう》けわたしの電話《でんわ》をするって』

「九時《くじ》か。じゃ、まだ一時間《いちじかん》あるな。いいか、犯人《はんにん》から電話《でんわ》があったら、柿沼《かきぬま》のおやじにこう言《い》わせるんだ。聞《き》こえてるか？　どうぞ」

『聞《き》こえてるわよ。どうぞ』

「柿沼《かきぬま》が無事《ぶじ》でいるという手紙《てがみ》を出《だ》させろ。それを受《う》け取《と》ったら金《かね》を払《はら》う」

『それだけ？』

「それだけだ」

『電話《でんわ》で声《こえ》を聞《き》くんじゃだめ？』

「電話《でんわ》はだめだ。どうしても手紙《てがみ》だと言《い》うんだ」

『どうして？』

「手紙《てがみ》なら、柿沼《かきぬま》はきっと何《なん》か知《し》らせてくる」

『でも、手紙《てがみ》だったら犯人《はんにん》にばれちゃうじゃん』

「柿沼《かきぬま》だったら、きっと暗号《あんごう》で書《か》いてくるさ」

『そうかあ。そういう計画《けいかく》なのかあ』

純子《じゅんこ》はしきりに感心《かんしん》した。

「この計画《けいかく》がうまくいくかどうかは、純子《じゅんこ》にかかってるんだからな」

『まかしといて。うちのママは、柿沼君《かきぬまくん》のママと仲《なか》いいから、大丈夫《だいじょうぶ》うまくいくよ』

「たのんだぜ」

英治《えいじ》が替《か》わって言《い》った。

『英《えい》ちゃん？』

「そうさ。親《おや》たちはどうしてる？」

『まだ、みんな誘拐《ゆうかい》されたと思《おも》ってるよ。きのうは、柿沼君《かきぬまくん》ちへあんたたちの親《おや》とセン公《こう》、それに警《けい》察《さつ》も集《あつ》まって、どうしたらいいか、おそくまで相《そう》談《だん》したみたいよ』

「ばっかだなあ」

相原《あいはら》がトランシーバーを取《と》った。

「じゃあ、八時半《はちじはん》に解放区《かいほうく》の臨時《りんじ》ニュースを放送《ほうそう》するから、みんなの家《いえ》に電話《でんわ》してくれよ」

『いいよ。何《なん》の放送《ほうそう》するの？』

「ここにいるってことさ」

『ばらしちゃうの？　親《おや》たちがやってくるわよ』

「そうすりゃ、おれたちが誘拐《ゆうかい》されてねえってことがわかって安心《あんしん》するだろう」

『黙《だま》って帰《かえ》るとは思《おも》えないな』

「そうなったら戦争《せんそう》さ」

『大丈夫《だいじょうぶ》?』

純子《じゅんこ》が緊張《きんちょう》した声《こえ》で言《い》った。

「やってみなきゃわかんねえよ。じゃ、そっちの方《ほう》たのんだぜ」

『了解《りょうかい》。では健闘《けんとう》を祈《いの》る』

谷本《たにもと》が言《い》った。


「いいか、秒読《びょうよ》みをはじめるぞ」

英治《えいじ》は、相原《あいはら》と日比野《ひびの》の顔《かお》を見《み》た。相原《あいはら》は、マイクの前《まえ》で「エヘン」とせきばらいした。日比野《ひびの》は、テープレコーダーを見《み》つめたまま、指《ゆび》でOK《オーケー》のサインを出《だ》した。

八時半《はちじはん》まで、あと十秒《じゅうびょう》になった。

「十秒前《じゅうびょうまえ》、九秒前《きゅうびょうまえ》、八秒前《はちびょうまえ》……」

二人《ふたり》とも顔《かお》が緊張《きんちょう》している。

「四秒前《よんびょうまえ》、三秒前《さんびょうまえ》、二秒前《にびょうまえ》、一秒前《いちびょうまえ》」

英治《えいじ》は、日比野《ひびの》に向《む》かって左手《ひだりて》でキューを出《だ》した。いつだったか、テレビ局《きょく》で見《み》たディレクターのやり方《かた》をそっくりまねしたのだが、自分《じぶん》がディレクターになったみたいないい気持《きも》ちだ。

「スイッチ・オン」

相原《あいはら》がＦＭ《エフエム》放送《ほうそう》のスイッチを入《い》れると同時《どうじ》に、日比野《ひびの》もテープレコーダーのスイッチを押《お》した。

猪木《いのき》のテーマ『炎《ほのお》のファイター』が、けたたましい音《おと》で流《なが》れはじめた。

正確《せいかく》に二十秒《にじゅうびょう》たったとき、英治《えいじ》はボリュームをしぼるように、肩《かた》まで上《あ》げた手《て》をゆっくりと下《した》におろした。それにつれて、音楽《おんがく》がしぼられた。

——よし、その調子《ちょうし》だ。

英治《えいじ》は、相原《あいはら》に右手《みぎて》の人差《ひとさ》し指《ゆび》を向《む》けた。

「こちら解放区《かいほうく》。みんな起《お》きてるか。起《お》きてない人《ひと》は、すぐにベッドを出《で》て外《そと》に出《で》るんだ。すばらしい青空《あおぞら》だぞ。昼間《ひるま》は暑《あつ》くなりそうだから、校《こう》長《ちょう》と子《こ》どもは、帽子《ぼうし》をかぶって外出《がいしゅつ》した方《ほう》がいいぜ。校長《こうちょう》がなぜ帽子《ぼうし》をかぶるのかって？　そりゃハゲだからさ」

「いいぞ相原《あいはら》。その調子《ちょうし》だ」

みんな、笑《わら》いたいのを我慢《がまん》して、怒《おこ》ったような顔《かお》をしている。

「では、これから臨時《りんじ》ニュースを放送《ほうそう》するぜ。これはマジに聴《き》いてほしい。きのう、おれたちが突《とっ》然《ぜん》いなくなったんで、誘拐《ゆうかい》されたといううわさが町《まち》に流《なが》れているらしいけど、それはまちがい。おれたちはそんなドジはやらねえ。解放区《かいほうく》で全員《ぜんいん》ぴんぴんしてるから心配《しんぱい》なく。誘拐《ゆうかい》されたのは柿沼《かきぬま》一人《ひとり》。ただし、これはおれたちとは無関係《むかんけい》だ。子《こ》どもを誘拐《ゆうかい》するなんて、薄汚《うすぎた》ねえ野郎《やろう》だ。

これだけ言《い》ってもまだ信用《しんよう》できない？　よし、それならN《エヌ》橋《はし》の近《ちか》くにある荒川工機《あらかわこうき》へきてくれよ。そこがおれたちの解放区《かいほうく》だ。

解放区《かいほうく》で何《なに》をするかって？　それはおとなには関係《かんけい》ないこと。おとなたちは、首《くび》を洗《あら》って待《ま》っていた方《ほう》がいいぜ。

それから念《ねん》のために言《い》っとくけど、おれたちは武器《ぶき》も爆弾《ばくだん》も持《も》っている。無理《むり》に解放区《かいほうく》に押《お》し入《い》ろうとしたら、解放区《かいほうく》ごとふっ飛《と》んじまうからね。こいつは脅《おど》しじゃねえぜ。臨時《りんじ》ニュースはこれで終《お》わり。次《つぎ》の放送《ほうそう》はこんやの八時《はちじ》から、バッチシおもしろいことを聞《き》かせるから、期待《きたい》してくれよな。じゃあバイバイ」

英治《えいじ》は、日比野《ひびの》に向《む》かって手《て》をあげた。音楽《おんがく》のボリュームがあがる。十秒《じゅうびょう》、二十秒《にじゅうびょう》。相原《あいはら》にキューを出《だ》す。相原《あいはら》はスイッチをオフにした。

日比野《ひびの》もテープを止《と》めた。

「いい調子《ちょうし》だ。だけどあんなこと言《い》っちゃってヤバくねえか？」

天野《あまの》が言《い》った。天野《あまの》は将来《しょうらい》スポーツアナを目指《めざ》しているだけあって、採点《さいてん》はきびしい。

「さあ、もうじきお客《きゃく》さんがやってくるぞ。いいじゃねえか、勝手《かって》にこさせりゃ。どうせ、ここにいることはいつかはばれるんだ。こそこそすることはねえさ」

「爆弾《ばくだん》なんてほんとに隠《かく》してあるのか？」

「あるわけねえだろう。ああ言《い》っときゃ、そう簡《かん》単《たん》には入《はい》ってこれねえじゃんか」

相原《あいはら》が言《い》ったとき、塀《へい》の外《そと》で「お兄《にい》ちゃぁん」という声《こえ》がした。

「だれか呼《よ》んでるぞ。もうきたのかな」

英治《えいじ》は窓《まど》から顔《かお》を出《だ》して下《した》を見《み》た。犬《いぬ》をつれた小学生《しょうがくせい》が正門《せいもん》の前《まえ》にいる。

「なんだ？」

「ぼく佐竹俊郎《さたけとしろう》です。お兄《にい》ちゃんそこにいますか？」

小学生《しょうがくせい》は上《うえ》を見上《みあ》げて言《い》った。

「佐竹《さたけ》、弟《おとうと》が呼《よ》びにきたぞ。どうする？」

英治《えいじ》が言《い》うと、佐竹《さたけ》は顔《かお》をしかめて舌《した》うちすると、

「こんなところにくるなって言《い》ってくれよ」

「お前《まえ》、自分《じぶん》で言《い》えよ」

「しようがねえやつだな」

佐竹《さたけ》は、しぶしぶ窓《まど》から顔《かお》を出《だ》した。

「お兄《にい》ちゃん」

弟《おとうと》の俊郎《としろう》が下《した》から手《て》を振《ふ》った。

「いま放送《ほうそう》聞《き》いて、走《はし》ってきたんだよ」

佐竹《さたけ》の家《いえ》は、ここから一〇〇《ひゃく》メートルもない。

「ここはガキのくるところじゃねえ。帰《かえ》れ、帰《かえ》れ」

「ぼくもそこに入《い》れてよ」

「ばか言《い》うな。お前《まえ》はまだ小学校《しょうがっこう》五年《ごねん》じゃねえか」

「五年《ごねん》だって、ぼくにはタローがいるもん。こいつは役《やく》に立《た》つと思《おも》うよ」

俊郎《としろう》は、つれている犬《いぬ》の頭《あたま》をなでた。

「なんだか、ずいぶん強《つよ》そうな犬《いぬ》だな」

吉村《よしむら》が聞《き》いた。

「アメリカン・ピット・ブル・テリアっていうんだ」

「長《なが》い名前《なまえ》だな」

「ブルドッグとテリアから生《う》まれた犬《いぬ》で、地上《ちじょう》最強《さいきょう》といわれる闘犬《とうけん》なんだ」

佐竹《さたけ》は、ちょっと誇《ほこ》らしげに言《い》った。

「すげえなあ。そんな犬《いぬ》がいたら、夜寝《よるね》てても番《ばん》犬《けん》になるんじゃねえか」

「あいつがいりゃ、夜見張《よるみは》りしていなくても絶対《ぜったい》大丈夫《だいじょうぶ》だ。知《し》らねえ人間《にんげん》が入《はい》ってくりゃイチコロさ」

「おい、犬《いぬ》だけ中《なか》へ入《い》れようや。な、相原《あいはら》」

「そうだな、犬《いぬ》というのは気《き》がつかなかったな」

相原《あいはら》も、その気《き》になりかけているみたいだ。

「ところがあいつは、弟《おとうと》の言《い》うことしか聞《き》かねえんだよ」

「じゃ、弟《おとうと》もいっしょに入《い》れようや。みんなどうだ？ 賛成《さんせい》だったら手《て》をあげてくれ」

吉村《よしむら》はみんなの顔《かお》を見《み》まわした。

「賛成《さんせい》」

全員《ぜんいん》の手《て》があがった。

「よし、すぐ中《なか》へ入《い》れよう。正門《せいもん》のくぐり戸《ど》をあけてやれよ」

相原《あいはら》の言葉《ことば》をみなまで聞《き》かず、佐竹《さたけ》は窓《まど》から顔《かお》を出《だ》すと、

「じゃ、入《い》れてやるから、そこで待《ま》ってろ」

「わあい」

俊郎《としろう》はとびあがって喜《よろこ》んでいる。佐竹《さたけ》は階段《かいだん》を駆《か》けおりて行《い》った。

五分《ごふん》もすると、佐竹《さたけ》は俊郎《としろう》とタローをつれてあがってきた。そばで見《み》ると、顔《かお》はそれほど凶暴《きょうぼう》ではないが、なんとなくみんな尻《しり》ごみした。

「これで、そんなに強《つよ》いのか？」

安永《やすなが》が疑《うたが》わしそうに言《い》った。

「けんかさせたら、土佐犬《とさいぬ》より強《つよ》いですよ。テリアといっても、ヨークシャー・テリアやマルチーズじゃなくて、ドーベルマンの血《ち》を引《ひ》くテリアと、ブルドッグの子《こ》なんです。一度《いちど》咬《か》みついたら絶対《ぜったい》放《はな》しません」

俊郎《としろう》は、タローを侮辱《ぶじょく》されたことで、むきになって言《い》った。

「いいか、おれたちは遊《あそ》びでやってるんじゃねえんだ。お前《まえ》もここにきたからにはそのつもりで、みんなに迷惑《めいわく》かけるんじゃねえぞ」

佐竹《さたけ》は、一応兄貴《いちおうあにき》づらして言《い》う。

「わかってるよ。みなさん、おねがいします」

俊郎《としろう》は、みんなに向《む》かって何度《なんど》も頭《あたま》を下《さ》げた。

「放送聞《ほうそうき》いて、おふくろなんて言《い》ってた？」

「もうじきここへ、みんなでやってくるよ。絶対《ぜったい》つれもどすってさ」

「帰《かえ》るもんか」

「大丈夫《だいじょうぶ》だよ。タローさえいれば、だれがきたって追《お》い返《かえ》してやるよ」

小《ちい》さな俊郎《としろう》が、急《きゅう》にたのもしく見《み》えた。

4

解放区《かいほうく》に向《む》かう人《ひと》の列《れつ》は、一人《ひとり》ふえ、二人《ふたり》ふえして、正門前《せいもんまえ》に着《つ》いたときには三十人《さんじゅうにん》をこしていた。

その中《なか》には、橋口《はしぐち》純子《じゅんこ》、堀場《ほりば》久美子《くみこ》、中山《なかやま》ひとみら女子《じょし》生徒《せいと》が十人《じゅうにん》。それに校長《こうちょう》の榎本《えのもと》勝也《かつや》、教頭《きょうとう》の丹羽《にわ》満《みつる》、生活《せいかつ》指導《しどう》主任《しゅにん》の野沢《のざわ》拓《たく》、一年二《いちねんに》組《くみ》の担任《たんにん》八代謙一《やしろけんいち》もいた。

正門《せいもん》は鉄柵《てっさく》でできているが、パイプで厳重《げんじゅう》に固《かた》められたうえ、中《なか》から板《いた》をあてているので、内側《うちがわ》を見《み》ることはできない。ただし、これは子《こ》どもたちがやったのではなく、倒産《とうさん》以来《いらい》ずっとそうなっていた。

正門《せいもん》の脇《わき》には四階建《よんかいだ》てのビルがある。その道路《どうろ》に面《めん》した壁面《へきめん》には、『ぼくらの解放区《かいほうく》』と赤《あか》い絵《え》の具《ぐ》で書《か》いた垂《た》れ幕《まく》が、屋上《おくじょう》からぶら下《さ》がっている。

「なんだか、むかしの悪夢《あくむ》が甦《よみがえ》ってきたみたい」

相原園子《あいはらそのこ》はそれを見上《みあ》げながら、夫《おっと》の正志《まさし》にだけ聞《き》こえる低《ひく》い声《こえ》で言《い》った。

「悪夢《あくむ》ではないさ。おれたちの青春《せいしゅん》だ」

正志《まさし》の視線《しせん》は、解放区《かいほうく》という文字《もじ》にはりついたまま動《うご》かない。

「解放区《かいほうく》なんて言葉《ことば》、徹《とおる》はどこでおぼえたのかしら。あなた、おしえたの?」

「いや、おしえてない。しかし、おれたちはいつも、知《し》らずあのころのことを話《はな》していたじゃないか。知らずに頭《あたま》の中《なか》に入《はい》っていたんだろう」

二人《ふたり》とも、正門前《せいもんまえ》に群《むら》がった人《ひと》たちからは少《すこ》し距離《きょり》を置《お》いていた。

「何《なに》をやるつもりなのかしら？」

「さあ……。こうやって子《こ》どもたちの顔《かお》を見《み》ていると、みんな底抜《そこぬ》けに明《あか》るいじゃないか」

「私《わたし》たちのときは、もっと突《つ》きつめた顔《かお》をしてたわね。みんな、何《なに》かを変《か》えようと必死《ひっし》だったのよ。何《なに》かが、きっと変《か》わると信《しん》じていたわ」

園子《そのこ》の頬《ほお》に赤《あか》みがさした。あのころのことを話《はな》しはじめると、消《き》えたと思《おも》っていた燠《おき》に、火《ひ》がつくみたいにからだが熱《あつ》くなってくる。

「あの連中《れんちゅう》も、そうかもしれない」

「あんな子《こ》どもが……？　まだ中学一年《ちゅうがくいちねん》よ」

「もちろん、連中《れんちゅう》は何《なに》もわからずに行動《こうどう》しているんだろう。意識下《いしきか》の問題《もんだい》さ」

「それは深読《ふかよ》み し過《す》ぎよ」

「そうかなぁ。君《きみ》は安田講堂《やすだこうどう》が陥落《かんらく》するときの、最後《さいご》の放送《ほうそう》をおぼえているか？」

「おぼえてるわ。われわれの闘《たたか》いは決《けっ》して終《お》わったのではなく、われわれにかわって闘《たたか》う同志《どうし》の諸《しょ》君《くん》が、ふたたび解放講堂《かいほうこうどう》から時計台放送《とけいだいほうそう》を再開《さいかい》する日《ひ》まで、一時《いちじ》この放送《ほうそう》を中止《ちゅうし》します」

「しかし、いまの大学生《だいがくせい》を見《み》てみろよ。もう権力《けんりょく》に反抗《はんこう》するエネルギーなんて、これっぽっちもありゃしないぜ。高校生《こうこうせい》はどうだ？　これは大学《だいがく》の予備校《よびこう》になりさがっている。中学生《ちゅうがくせい》だって、三年《さんねん》になれば教師《きょうし》の言《い》いなりだ。騒《さわ》いでいるのは、少《すこ》しばかりのつっぱり。これは、非行《ひこう》というレッテルをはって隔離《かくり》してしまう。結局《けっきょく》、おれたちのあとからやってくる者《もの》は、だれもいないってことさ」

「そうよね」

　空《むな》しい思《おも》いが、園子《そのこ》の胸《むね》を吹《ふ》き抜《ぬ》けた。

「もしかしたら、あの子《こ》どもたちが、おれたちにつづく連中《れんちゅう》なのかもしれない」

「あなたの思《おも》い入《い》れはわかるけど、彼《かれ》らたちに思《し》想《そう》があって……？」

「彼《かれ》らをつき動《うご》かしているのは思想《しそう》じゃない。生《せい》存《ぞん》の本能《ほんのう》さ」

「それ、どういう意味《いみ》？」

「生物《せいぶつ》ってのは、将来《しょうらい》の危険《きけん》を予知《よち》する本能《ほんのう》を持《も》っていて、その危険《きけん》を回避《かいひ》しようとする。それを持《も》たない生物《せいぶつ》は、淘汰《とうた》されて亡《ほろ》びてしまう。彼《かれ》らも、このままでいったら、将来《しょうらい》によくないことが起《お》こると、本能的《ほんのうてき》に察知《さっち》してああいう行動《こうどう》をとったにちがいない」

「そんな評論家《ひょうろんか》みたいなこと言《い》わないで。徹《とおる》は私《わたし》たちの息子《むすこ》よ。どうすればいいの？」

「やらしておくさ」

「このまま放《ほう》っておくの？」

「こんな日《ひ》がくるのを、心《こころ》ひそかに待《ま》っていたんだ。おれは徹《とおる》を見直《みなお》したよ」

「そんなの無責任《むせきにん》だわ。あの子《こ》たちは高校《こうこう》へ行《い》けなくなるかもしれないのよ」

「それならそれでいいじゃないか」

「中学《ちゅうがく》で放《ほう》り出《だ》されて、どうして食《た》べてゆけるの？」

「食《く》うぐらいなんとかするさ」

「私《わたし》は、徹《とおる》に私《わたし》たちと同《おな》じ道《みち》を歩《ある》かせたくないのよ」

「君《きみ》も変《か》わったもんだ。そんなに息子《むすこ》を体制《たいせい》に組《く》み入《い》れたいのか？」

「そうよ。それがどうしてわるいの？　私《わたし》たちの仲間《なかま》だって、いまは体制側《たいせいがわ》でぬくぬくと肥《ふと》っている人《ひと》ばかりじゃない」

「もうよそう。ここでそんな議論《ぎろん》をしてもはじまらない」

正志《まさし》は額《ひたい》の汗《あせ》を拭《ふ》いた。

正門《せいもん》の前《まえ》に群《むら》がった親《おや》たちは、口《くち》ぐちにわめいている。

「秀明《ひであき》ちゃん。ママよ。そこにいたら顔《かお》を出《だ》して」

宇野秀明《うのひであき》の母親《ははおや》千佳子《ちかこ》の声《こえ》が、ひときわ高《たか》く聞《き》こえる。それは、呼《よ》びかけるというより絶叫《ぜっきょう》である。

ビルの二階《にかい》の窓《まど》から、子《こ》どもたちがいっせいに顔《かお》を出《だ》した。

「ぼくちゃん。ママここよ。ここ」

千佳子《ちかこ》は、二階《にかい》の窓《まど》に向《む》かって、狂《くる》ったように手《て》を振《ふ》った。秀明《ひであき》が恥《は》ずかしそうに、手《て》のひらを小《ちい》さく動《うご》かした。

「あなた、きのうそこで寝《ね》たの?」

秀明《ひであき》がうなずく。

「よそで泊《と》まるなら泊《と》まると、どうしてママに言《い》ってくれなかったの。ママ心配《しんぱい》で、きのうは一睡《いっすい》もできなかったわよ。そこにはベッドはあるの?」

「そんなもの、あるわけないだろう」

「じゃ、どうやって寝《ね》たの?」

「コンクリートのうえにごろ寝《ね》さ」

「まあ！」

千佳子《ちかこ》は頭《あたま》を両手《りょうて》で抱《かか》えて悲鳴《ひめい》をあげた。

「そんなところじゃ、寝《ね》られなかったでしょう？」

「よく寝《ね》られたよ」

「からだが痛《いた》いでしょう？」

「痛《いた》かねえよ」

「かぜひかなかった？」

「ひかねえよ」

「蚊《か》に食《た》べられなかった？」

「いい加減《かげん》にしてくれよ。みんなが笑《わら》ってるじゃないか」

秀明《ひであき》は頬《ほお》をふくらませた。

「みんななんかどうでもいいの。あなた、だれかにおどかされてそこにいるんでしょう？」

「ちがうよ。いたいからいるんだ」

「うそ。あなたはそういう子《こ》じゃありません。おどかされているにきまってます。ここには、校長《こうちょう》先生《せんせい》も教頭先生《きょうとうせんせい》も、八代先生《やしろせんせい》もみんないらっしゃるわ。こわがることないから出《で》ていらっしゃい」

「言《い》うことはそれだけ？」

「それだけとはなんですか？」

「それだけしゃべればもう十分《じゅうぶん》だろう？　いいからさっさと帰《かえ》りなよ」

「秀《ひで》ちゃん、あなたどうかしちゃったんじゃない？」

　秀明《ひであき》の顔《かお》が窓《まど》から消《き》えた。

「秀明《ひであき》、秀《ひで》ちゃん。顔《かお》をもう一度《いちど》ママに見《み》せて。

もう帰《かえ》れって言《い》わないから、顔《かお》だけでも見《み》せてよ。おねがい」

千佳子《ちかこ》は、火《ひ》がついたように泣《な》き出《だ》した。まるで動物《どうぶつ》が吠《ほ》えているみたいだ。派手《はで》な化粧《けしょう》が涙《なみだ》でくずれて、無残《むざん》な形相《ぎょうそう》になった。

「哲郎《てつろう》、顔《かお》を出《だ》しなさい」

佐竹《さたけ》の母親《ははおや》紀子《のりこ》が、二階《にかい》の窓《まど》を見上《みあ》げて叫《さけ》んだ。からだもでかいが、すごく迫力《はくりょく》のある声《こえ》だ。

「ここだよ」

佐竹《さたけ》は、二階《にかい》の窓《まど》から手《て》を振《ふ》った。

「そこに俊郎《としろう》行《い》ってない？」

「きてるぜ」

「きてるぜじゃありません。二人《ふたり》とも出《で》ていらっしゃい」

「やだね」

窓《まど》から顔《かお》を出《だ》した俊郎《としろう》が言《い》った。

「俊《とし》ちゃん、アイスクリーム持《も》ってきたからおりていらっしゃい」

「アイスクリームなんかほしくないよ。ぼくも仲《なか》間《ま》に入《い》れてもらったんだ」

「家《いえ》に帰《かえ》らないと、ママにお尻《しり》をぶたれるわよ」

「ぶちたけりゃぶちにこいよ」

「まあ……」

紀子《のりこ》は絶句《ぜっく》した。

教頭《きょうとう》の丹羽《にわ》が、いつの間《ま》に用意《ようい》したのか、メガフォンで話《はな》しかけた。

「みんな、どういうつもりかしらんが、お母《かあ》さんたちも心配《しんぱい》しているから、出《で》てきなさい」

『いいから放《ほう》っといてくれよ』

正門《せいもん》の上《うえ》に取《と》りつけられたスピーカーから声《こえ》が流《なが》れてきた。

「いいか、無断《むだん》で他人《たにん》の家《いえ》に入《はい》ることは罪《つみ》になるのだぞ」

『じゃ、つかまえに入《はい》ってこいよ。ただし、命《いのち》の保証《ほしょう》はしねえぜ。こっちには、爆弾《ばくだん》と地上《ちじょう》最強《さいきょう》の猛犬《もうけん》がいるんだ』

スピーカーから、犬《いぬ》の唸《うな》り声《ごえ》が聞《き》こえる。

「おとなをからかうんじゃない。ひと晩泊《ばんと》まれば

もういいじゃないか」

『ひと晩《ばん》じゃやだめだね。おれたちはこれからやる

ことがあるんだ』

「何《なに》がやりたいんだ？　聞《き》こうじゃないか」

猫撫《ねこな》で声《ごえ》に替《か》わった。見《み》ると、校長《こうちょう》の榎本《えのもと》がメ

ガフォンをにぎっている。

『いやらしい声《こえ》を出《だ》すなよ。腹《はら》の中《なか》は見《み》え見《み》えだ

ぜ』

「何色《なにいろ》に見《み》える？」

下《した》にいる子《こ》どもたちが、いっせいにはやしたてた。

『黒《くろ》だよ。きまってるじゃねえか』

「さあ、話《はな》したまえ」

榎本《えのもと》は顔《かお》を真《ま》っ赤《か》にして、懸命《けんめい》に怒《いか》りを抑《おさ》えているふうだ。

『話《はな》すと、あんたの首《くび》が飛《と》ぶけどいいかい？』

「校長先生《こうちょうせんせい》に対《たい》して、あんたとはなんだ」

生活指導主任《せいかつしどうしゅにん》の野沢《のざわ》が、榎本《えのもと》のメガフォンをひったくるようにしてどなった。

「よお、野沢菜《のざわな》のごますり」

二階《にかい》の子《こ》どもたちが、窓《まど》わくをたたいて野沢《のざわ》をひやかした。

「八代先生《やしろせんせい》、なんとか言《い》ったらどうですか」

野沢《のざわ》は、脇《わき》に突《つ》っ立《た》っている八代《やしろ》に、メガフォンをつきつけた。八代《やしろ》は、しかたなさそうに、メガフォンを口《くち》にあてた。

「私《わたし》は、担任《たんにん》の八代《やしろ》だ」

たよりない声《こえ》で、ぼそぼそと言《い》う。

『声《こえ》が小《ち》さくて聞《き》こえねえよ』

「私《わたし》は担任《たんにん》の八代《やしろ》だ」

『それがどうした？　こんなところにうろうろしてると、塾《じゅく》のアルバイトに遅《おく》れるぜ』

「君《きみ》たちはなんてことを……」

『知《し》ってんだよ。学校《がっこう》では手抜《てぬ》きして、塾《じゅく》では張《は》り切《き》ってるってこと』

野沢《のざわ》が、八代《やしろ》のメガフォンを奪《うば》いとると、

「いいか、いまから十数《じゅうかぞ》えるだけ待《ま》ってやる。それでも出《で》てこなければ警察《けいさつ》へ引《ひ》きわたす」

「警察《けいさつ》はひど過《す》ぎますわ」

親《おや》たちが口《くち》ぐちに言《い》う。野沢《のざわ》は教頭《きょうとう》の顔《かお》を見《み》た。

教頭《きょうとう》は、その顔《かお》を校長《こうちょう》に向《む》けた。

『早《はや》く数《かぞ》えろよ。数《かず》を忘《わす》れたんなら、おれたちが数《かぞ》えてやるぜ。一《いち》、二《に》、三《さん》、四《し》、五《ご》、六《ろく》、七《しち》、

八《はち》、九《きゅう》、十《じゅう》』

子《こ》どもたちが大合唱《だいがっしょう》している間《あいだ》、三人《にん》の教師《きょうし》たちは、ぐっと唇《くちびる》をかみしめている。

「八代君《やしろくん》」

教頭《きょうとう》の丹羽《にわ》が、たまりかねたように言《い》った。

「はい」

「コレはいったいどうしたことなんだ？」

丹羽《にわ》は、八代《やしろ》とキスするのかと思《おも》うほど顔《かお》を寄《よ》せた。

「わかりません」

八代《やしろ》は顔《かお》をのけぞらせた。丹羽《にわ》のあだなは怪獣《かいじゅう》である。この反射行動《はんしゃこうどう》は本能的《ほんのうてき》なものにちがいない。

「わからんですむと思《おも》うのか？　君《きみ》のクラスの男子生徒全員《だんしせいとぜんいん》だぞ。なぜ全員《ぜんいん》なのだ。そこが問題《もんだい》だ」

「私《わたし》にも、それがわかりません」

「いいかね。生徒《せいと》がこういう行動《こうどう》をとるからには、前《まえ》に必《かなら》ず兆候《ちょうこう》があったはずだ」

「気《き》づきませんでした」

「気《き》づきませんでしただと？　君《きみ》は、無《む》責任《せきにん》、無《む》気力《きりょく》、無感動《むかんどう》、無作法《ぶさほう》、無関心《むかんしん》。教師失格《きょうししっかく》だ」

八代《やしろ》は、丹羽《にわ》にここまで言《い》われても、全然反《ぜんぜんはん》応《のう》を示《しめ》さない。

『怪獣《かいじゅう》、弱《よわ》い者《もの》いじめするなよ』

またスピーカーから声《こえ》がした。ここでしゃべる声《こえ》が、あんなところに聞《き》こえるとは、どこかにマイクが仕掛《しか》けてあるにちがいない。丹羽《にわ》は窓《まど》をにらんだ。

「私《わたし》は、クラスの男子生徒《だんしせいと》は集団発狂《しゅうだんはっきょう》したのではないかと思《おも》います」

「ばかな。そんなことが突然《とつぜん》おこるわけがないじゃないか。だれか煽動《せんどう》した奴《やつ》がいるんだ。まさか、君《きみ》じゃないだろうな？」

丹羽《にわ》に凄《すご》まれて、さすがに八代《やしろ》も首《くび》をすくめた。

「めっそうもありません。いやしくも私《わたし》は教師《きょうし》です。そういう疑《うたが》いをかけられるだけでも残念《ざんねん》です」

「では、あの中《なか》に煽動者《せんどうしゃ》がいるはずだ。心《こころ》あたりはあるだろう?」

「放送《ほうそう》の声《こえ》には聞《き》きおぼえがあります」

「だれだ?」

「相原徹《あいはらとおる》です」

「その生徒《せいと》はつっぱりか?」

「いいえ」

「両親《りょうしん》は何《なに》をしている?」

正志《まさし》は園子《そのこ》の腕《うで》をとると、「行《い》こう」と言《い》った。

「私《わたし》たちが、徹《とおる》の父親《ちちおや》と母親《ははおや》です」

正志《まさし》は、人波《ひとなみ》をかきわけて丹羽《にわ》の前《まえ》に進《すす》み出《で》ると、周囲《しゅうい》にも聞《き》こえるような大声《おおごえ》で言《い》った。

「先生方《せんせいがた》は、うちの徹《とおる》が煽動者《せんどうしゃ》だとおっしゃるんですか？」

「いや、そうは言《い》っていません」

八代《やしろ》は、もう逃《に》げ腰《ごし》である。

「それなら結構《けっこう》です」

「煽動者《せんどうしゃ》は相原君《あいはらくん》です。それにちがいありません」

突然《とつぜん》、宇野《うの》の母親《ははおや》千佳子《ちかこ》が叫《さけ》んだ。

「証拠《しょうこ》があるんですか？　ないのに、めったなことは言《い》わないでください」

野沢《のざわ》が千佳子《ちかこ》をたしなめた。

「ありますわ」

「ほんとうですか？」

「ええ、ほんとうですとも。証拠《しょうこ》は、この方《かた》たちが、元全共闘《もとぜんきょうとう》ということです。お二人《ふたり》とも、学生時代《がくせいじだい》は解放区《かいほうく》とかいうバリケードの中《なか》で、ゲバ棒《ぼう》持《も》って暴《あば》れたんです。警察《けいさつ》にも何度《なんど》かつかまっていますわ。この方《かた》たちは、きっとそういうふうに子《こ》どもを教育《きょういく》したにきまっています」

千佳子《ちかこ》は、何《なに》かに憑《つ》かれたように、一気《いっき》にまくしたてた。

「ほんとうですか？　相原《あいはら》さん」

野沢《のざわ》は、底意地《そこいじ》のわるい目《め》で正志《まさし》を見《み》た。この男《おとこ》も、全共闘世代《ぜんきょうとうせだい》である。おそらくあの当時《とうじ》は、ひっそりと嵐《あらし》の過《す》ぎるのを待《ま》っていた連中《れんちゅう》にちがいない。

「先生《せんせい》いくつですか?」

「三十七歳《さんじゅうななさい》です」

「そうですか。私《わたし》はこの質問《しつもん》に関《かん》しては、答《こた》える必要《ひつよう》を認《みと》めませんので、どうとでも勝手《かって》に想像《そうぞう》してくださってけっこうです」

「卑怯《ひきょう》よ、それは。ちゃんと答《こた》えなさい。そして、あなたが責任《せきにん》を持《も》って、うちの秀明《ひであき》をつれ出《だ》してください」

千佳子《ちかこ》は、正志《まさし》の腕《うで》をしっかりと握《にぎ》った。

『よお、そこのおばさん。カッカする気持《きも》ちはわかるけどよお、手《て》まで握《にぎ》っちゃうのはちょっとはしたねえぜ』

スピーカーから流《なが》れる声《こえ》に、千佳子《ちかこ》は慌《あわ》てて手《て》を放《はな》した。

『そう、そう。それでいい。自分《じぶん》の子《こ》どもがかわいいからって、だれかに責任《せきにん》を押《お》しつけちゃいけねえよ。おれたちは、相原《あいはら》の命令《めいれい》でやってるんじゃねえ』

「じゃ、だれの命令《めいれい》なの？」

千佳子《ちかこ》がスピーカーに向《む》かって叫《さけ》んだ。

『だれの命令《めいれい》でもねえよ。中学《ちゅうがく》に入《はい》ってから四《よん》か月《げつ》。規則《きそく》と命令《めいれい》にはうんざりしてるんだ。だから、だれにも命令《めいれい》されない場所《ばしょ》をつくったのさ。それが解放区《かいほうく》だよ』

「君《きみ》たちはまだ子《こ》どもだ。子《こ》どもはおとなの言《い》うことを聞《き》くのが当然《とうぜん》だ」

丹羽《にわ》がメガフォンで言《い》う。

『それは、おとなによりけりだ。こうわるくちゃ、言《い》うことも聞《き》けねえよ』

「そんなこと言《い》ってると、あとで後悔《こうかい》するぞ」

『高校受《こうこうう》けるとき、かたきをとろうってんだろう。あんたたちの考《かんが》えてることは、わかってるんだ』

榎本《えのもと》が、丹羽《にわ》の肩《かた》をたたいた。

「先生《せんせい》、もうよしなさい。こんな言《い》い合《あ》いをしていても問題《もんだい》は解決《かいけつ》しません。きょうのところは引《ひ》き揚《あ》げることにしましょう」

『さすがは校長《こうちょう》だ。いいことを言《い》うぜ。早《はや》く帰《かえ》って、柿沼《かきぬま》を救《すく》い出《だ》す手《て》でも考《かんが》えるんだな。といっても、どうせできやしねえだろう。しかたねえ。おれたちがやってやるよ』

スピーカーから、ボリュームをいっぱいにあげた『炎《ほのお》のファイター』が流《なが》れ出《だ》した。

「奴《やつ》らに、あんなこと言《い》わしていいんですか？」

野沢《のざわ》は、二階《にかい》の窓《まど》をにらみ、次《つぎ》に榎本《えのもと》の顔《かお》を見《み》た。

「きょうのところはこれで帰《かえ》ろう。いまは何《なに》を言《い》ってもむだだ」

榎本《えのもと》は正門《せいもん》に背《せ》を向《む》けると、

「みなさん、きょうはもうお引《ひ》き取《と》りください」

と母親《ははおや》たちに言《い》った。

「逃《に》げるんですか?」

母親《ははおや》の一人《ひとり》がヒステリックに言《い》った。

「いえ、学校《がっこう》に帰《かえ》って対策《たいさく》を考《かんが》えるのです。みなさんも、よろしかったらおいでください」

榎本《えのもと》の一言《ひとこと》で、正門《せいもん》の前《まえ》から波《なみ》が引《ひ》くように、おとなたちが帰《かえ》って行《い》った。残《のこ》ったのは女子生徒《じょしせいと》を含《ふく》めた子《こ》どもたちばかりである。

「やった、やった」

子《こ》どもたちは、ひとしきり騒《さわ》いでから、満足《まんぞく》した顔《かお》で引《ひ》き揚《あ》げて行《い》った。

解放区《かいほうく》に出《で》かけた母親《ははおや》たちは、全員中学校《ぜんいんちゅうがっこう》の会議室《かいぎしつ》に集《あつ》まった。

「先生《せんせい》、子《こ》どもたちはどうなるんでしょうか？」

宇野千佳子《うのちかこ》は、さっきからすっかり動転《どうてん》してしまって、目《め》の焦点《しょうてん》も定《さだ》まらない。

「どうなると聞《き》かれても、私《わたし》にもお答《こた》えのしようがありません」

校長《こうちょう》の榎本《えのもと》も、困惑《こんわく》を隠《かく》そうとしない。

「こんどのことは、かなり計画的《けいかくてき》な行動《こうどう》と思《おも》われますが、みなさまの中《なか》でお気《き》づきになった方《かた》はいらっしゃらなかったのですか？」

教頭《きょうとう》の丹羽《にわ》は、親《おや》の方《ほう》に責任《せきにん》をかぶせようとする意図《いと》がみえみえである。

「全然気《ぜんぜんき》づきませんでしたわ」

おたがいに顔《かお》を見合《みあ》わせながら、口々《くちぐち》に言《い》った。

「こういうことをしてしまったことは、高校受験《こうこうじゅけん》のとき内申書《ないしんしょ》に影響《えいきょう》あるんでございましょうか？」

小黒健二《おぐろけんじ》の母親《ははおや》千恵子《ちえこ》が聞《き》いた。

「それは、いまの段階《だんかい》ではなんとも申《もう》し上《あ》げられませんが、子《こ》どもたちが遊《あそ》びとしてやっているのか。それとも、ある政治的《せいじてき》な目的《もくてき》のためにやっているかによって、結論《けつろん》はちがってくると思《おも》います」

「政治的《せいじてき》な目的《もくてき》だなんて……。遊《あそ》びに決《き》まっていますわ」

相原園子《あいはらそのこ》は吐《は》き捨《す》てるように言《い》った。

「そうはおっしゃいますが、中学一年生《ちゅうがくいちねんせい》が解放区《かいほうく》なんて言葉《ことば》を知《し》っているはずがありません。それに、クラス全員《ぜんいん》が参加《さんか》しているということが気《き》になります」

野沢《のざわ》は、園子《そのこ》に対《たい》して挑戦的《ちょうせんてき》だった。

「最近学校《さいきんがっこう》では、先生《せんせい》の暴力《ぼうりょく》が公然《こうぜん》と行《おこな》われているようですけれど、そういうことが引《ひ》き金《がね》になったんじゃございませんか？」

「われわれは、教育上最少限《きょういくじょうさいしょうげん》の体罰《たいばつ》しか行《おこな》っておりません。しかもその際《さい》も、生徒《せいと》に納得《なっとく》させてから行使《こうし》しております」

「子《こ》どもたちはそうは言《い》っていませんよ」

園子《そのこ》は引《ひ》き下《さ》がらない。

「そういう議論《ぎろん》は、また時期《じき》をあらためてやることにして、きょうは、これからどう対処《たいしょ》すべきかを話《はな》し合《あ》いたいと思《おも》います」

丹羽《にわ》が中《なか》に入《はい》った。

「これはマスコミに面白《おもしろ》おかしく取《と》り上《あ》げられたりすると、収拾《しゅうしゅう》がつかなくなって、穏便《おんびん》にすませることもできなくなります。なんとしても、われわれの手《て》で解決《かいけつ》しなければなりません」

榎本《えのもと》が言《い》った。

「校長先生《こうちょうせんせい》のおっしゃるとおりですわ。私《わたし》たちでできることはなんでもいたしますから、遠慮《えんりょ》なくお申《もう》しつけください」

吉村賢一《よしむらけんいち》の母親美也子《ははおやみやこ》が言《い》った。

「お母《かあ》さま方《がた》にやっていただきたいことは、彼《かれ》らの組織《そしき》を切《き》りくずすことです。組織《そしき》といっても、そんなに強固《きょうこ》な連帯感《れんたいかん》があるはずがありません。

一人《ひとり》が脱《ぬ》ければ、がたがたと崩《くず》れるのは目《め》に見《み》えています」

「うちの秀明《ひであき》なんか、絶対《ぜったい》よそでは泊《と》まれない子《こ》なのに、きょうのあの子《こ》は人《ひと》が変《か》わってしまったみたい。言《い》うこと聞《き》くかしら」

千佳子《ちかこ》は、自信《じしん》なさそうに首《くび》を振《ふ》った。

「聞《き》きますとも。いまの子《こ》どもはみんな甘《あま》ったれですから。とにかく、マスコミの勘《かん》づく前《まえ》にやらなければなりません」

もしマスコミで話題《わだい》になったりしたら、榎本《えのもと》の面目《めんぼく》は丸《まる》つぶれである。来年《らいねん》は辞《や》めてどこかへ就職《しゅうしょく》しなければならないということを、詩乃《しの》は堀場久美子《ほりばくみこ》の母親睦子《ははおやむつこ》から聞《き》いたことがあるが、そうなっては再就職《さいしゅうしょく》にも差《さ》し支《つか》える。

久美子《くみこ》の父親千吉《ちちおやせんきち》はPTA《ピーティーエー》の会長《かいちょう》で、榎本《えのもと》がときどき相談《そうだん》にあらわれるということだった。そのあたりのことは巧《たく》みにカムフラージュしながら、母親《ははおや》たちを動《うご》かそうとする。狡猾《こうかつ》としか言《い》いようがない。

5

その日《ひ》は、夕方《ゆうがた》になるまでみんな興奮《こうふん》していた。おとなたちが、あのまま黙《だま》って引《ひ》き下《さ》がるとは思《おも》えない。それは、みんなの一致《いっち》した意見《いけん》だった。

では、どういう手《て》をつかってやってくるか。

「爆弾《ばくだん》が仕掛《しか》けてあると言《い》ったけど、ほんとうに信《しん》じるかな」

日比野《ひびの》はみんなの顔《かお》を見《み》まわした。

「そこまでバカじゃねえだろう」

中尾《なかお》は、すげない言《い》い方《かた》をした。

「そりゃそうだよな。子《こ》どもが爆弾手《ばくだんて》に入《い》れられるはずねえもんな」

「そうなると、頼《たよ》りになるのはタロー一匹《いっぴき》か……」

吉村《よしむら》は心細《こころぼそ》い声《こえ》を出《だ》した。

「爆弾《ばくだん》、持《も》ってくりゃいいじゃんか」

立石《たていし》がだしぬけに言《い》ったので、みんなの視線《しせん》が集《あつ》まった。

「どこから？」

「おれんちだよ。おれんちの倉庫《そうこ》には、火薬《かやく》がいっぱいあらぁ」

「そうか。お前《まえ》んちは花火師《はなびし》だったよな」

「そうさ。花火《はなび》だって爆弾《ばくだん》と同《おな》じようなものさ」

「だけど、倉庫《そうこ》には鍵《かぎ》がかかってるんだろう？」

「もちろんさ。二重《にじゅう》にかかってる」

「それじゃだめだ」

吉村《よしむら》は、気落《きお》ちした顔《かお》をした。

「あしたの夜《よる》、おやじたちはいねえんだ」

「どこかへ行《い》くのか？」

「利根川《とねがわ》の花火大会《はなびたいかい》に出《で》かけるんだ。だから、家《いえ》は空《から》っぽになる」

「鍵《かぎ》を持《も》ち出《だ》せるのか？」

「持《も》ち出《だ》せるさ。しまい場所《ばしょ》を知《し》ってんだから」

「お前《まえ》んちの倉庫《そうこ》って、どこにあるんだ？」

「隅田川《すみだがわ》と荒川《あらかわ》がくっつくところさ。まわりには家《いえ》がないから、近《ちか》づいても怪《あや》しまれねえよ」

「よし、盗《ぬす》みに行《い》こうぜ」

安永《やすなが》は、すっかり乗《の》り気《き》になった。

「それはいいけれど、子《こ》どもが火薬《かやく》をいじるのは危《あぶ》ないな」

それまで黙《だま》って聞《き》いていた瀬川《せがわ》が、ぽつりと言《い》った。

「どうして?」

「下手《へた》をしたらとんでもないことになる。それより、おもちゃの花火《はなび》もあるだろう？」

「そりゃ、もちろんあるさ」

「それをつかったらいい」

「おもちゃじゃつまんねえよ」

安永《やすなが》は鼻《はな》を鳴《な》らした。

「いや、ねずみ花火《はなび》とか爆竜《ばくりゅう》なんてのは、音《おと》を立《た》てながら飛《と》びはねるから、けっこうおどろかすことはできる」

「それならクラッカーボールがいいよ。みんなでいっせいに地面《じめん》にぶつけたら、すげえ音《おと》がするぜ」

立石《たていし》が言《い》った。

「そいつは、かんしゃく玉《だま》のことか？」

「そうだよ」

「爆竹《ばくちく》もいいな。こいつも、たくさんつかえば派《は》手《で》な音《おと》がする」

「それに煙幕《えんまく》もつかえば……」

「すげえぞ、立石《たていし》」

安永《やすなが》は、興奮《こうふん》して立石《たていし》の背中《せなか》を思《おも》いきりたたいた。立石《たていし》は痛《いた》そうに顔《かお》をしかめた。

「どうせだから、仕掛《しか》け花火《はなび》を持《も》ってこようぜ」

立石《たていし》が言《い》った。

「仕掛《しか》け花火《はなび》って、絵《え》とか字《じ》の出《で》るやつか？」

相原《あいはら》は、立石《たていし》の顔《かお》を見《み》た。

「字《じ》だって絵《え》だって、なんでもできるさ」

「荒川《あらかわ》の河川敷《かせんしき》の花火大会《はなびたいかい》って、いつだったかな？」

「二十六日《にじゅうろくにち》だよ」

「そうか。その日《ひ》には河川敷《かせんしき》に人《ひと》がいっぱい集《あつ》まるよな。そのとき、おれたちも屋上《おくじょう》に仕掛《しか》けを出《だ》したらおもしろいな」

相原《あいはら》が言《い》ったとたん、みんなが拍手《はくしゅ》した。

「校長《こうちょう》が泣《な》いてる顔《かお》なんかどうだ？」

安永《やすなが》が言《い》った。

「やるのは、解放区《かいほうく》からのメッセージさ。文句《もんく》はみんなで考《かんが》えよう」

「なんだ、字《じ》か……」

安永《やすなが》は、ちょっと不満《ふまん》そうだったが、「まあいいや」と納得《なっとく》した。

「そうすると、あすの晩花火《ばんはなび》を盗《ぬす》みに行《い》く者《もの》を決《き》めようぜ」

相原《あいはら》は、みんなの顔《かお》を見《み》わたした。急《きゅう》に、しんと静《しず》まりかえった。

「まず、下水道《げすいどう》を脱《ぬ》け出《だ》すためには、おじいさん」

「わかった。まかしてくれ」

瀬川《せがわ》はうなずいた。

「おれは行《い》くぜ」

安永《やすなが》が手《て》を上《あ》げた。それから、「お前《まえ》も行《い》こう」

と英治《えいじ》に言《い》った。

英治《えいじ》はことわる間《ま》もなく、反射的《はんしゃてき》に「うん」と
言《い》ってしまった。

「おれも行《い》く」

佐竹《さたけ》が言《い》った。

「じゃ、ぼくも行《い》く」

つづいて弟《おとうと》の俊郎《としろう》が言《い》った。

「お前《まえ》なんて足手《あしで》まといだ」

「おれが行《い》くよ」

吉村《よしむら》が言《い》った。

「お前《まえ》は、声《こえ》が高《たか》いからだめだ」

「しゃべらなきゃいいだろう」

「そうだな。じゃ吉村《よしむら》にするか。これで、安永《やすなが》、菊地《きくち》、佐竹《さたけ》、吉村《よしむら》、立石《たていし》の五人《ごにん》だ」

「それだけおれば十分《じゅうぶん》だ」

瀬川《せがわ》が言《い》った。

「君《きみ》たちのうちで、これまでに泥棒《どろぼう》やったことある者《もの》は手《て》を挙《あ》げてみろ」

瀬川《せがわ》が言《い》った。

「そんなもの、あるわけないよ」

英治《えいじ》は、吉村《よしむら》と顔《かお》を見合《みあ》わせた。

「万引《まんび》きなら、やったことあるぜ」

安永《やすなが》が言《い》った。

「万引《まんび》きじゃ大《たい》したことないな。まあいい。わしがついとるから心配《しんぱい》することはない」

「心配《しんぱい》なんかしてません」

英治《えいじ》は、かっこうつけて言《い》った。

「ほんとうか？　よし調《しら》べてやる」

瀬川《せがわ》は、そう言《い》うが早《はや》いか、英治《えいじ》の股間《こかん》にさっと手《て》を伸《の》ばして、タマキンをにぎった。

「ほら、こんなに縮《ちぢ》んどるじゃないか」

みんながどっと笑《わら》ったので、英治《えいじ》は顔《かお》が真《ま》っ赤《か》になった。

「お前《まえ》だって同《おな》じだ」

瀬川《せがわ》は、吉村《よしむら》に手《て》を伸《の》ばしたが、一瞬早《いっしゅんはや》く吉《よし》村《むら》は逃《に》げてしまった。

「みんな、マジに聞《き》いてくれ。花火《はなび》の方《ほう》はそれでいいとして、ここの守《まも》りをどうするか考《かんが》えようじゃないか」

相原《あいはら》の表情《ひょうじょう》がきびしいせいか、それまでふざけ合《あ》っていた連中《れんちゅう》が、急《きゅう》に静《しず》かになった。

「塀《へい》の上《うえ》には有刺鉄線《ゆうしてっせん》が張《は》ってあるからまずいい

として、問題《もんだい》は正門《せいもん》だ」

「あのくらいのパイプじゃ、おとなが五《ご》、六人《ろくにん》かかったら簡単《かんたん》にこわれちまうな」

瀬川《せがわ》が言《い》った。

「そこで、案《あん》が二《ふた》つある。一《ひと》つは、事務室《じむしつ》の机《つくえ》を内側《うちがわ》に積《つ》み上《あ》げるんだ」

「そのくらいじゃ、大《たい》したバリケードにならんな」

「では第二案《だいにあん》。門《もん》は破《やぶ》られることを計算《けいさん》して、大《おお》きな落《お》とし穴《あな》をつくる。門《もん》を破《やぶ》って入《はい》ってきたら、全員《ぜんいん》が落《お》とし穴《あな》に落《お》ちるってのはどうだ？」

「賛成《さんせい》」

圧倒的多数《あっとうてきたすう》で、第二案《だいにあん》が採用《さいよう》された。

「だけど、そこコンクリートだろう。固《かた》くて掘《ほ》れないぜ。それよりこういう案《あん》はどうだ？」

中尾《なかお》の顔《かお》をみんなが注視《ちゅうし》した。

「迷路《めいろ》をつくるんだよ。門《もん》をあけるだろう。そうすると迷路《めいろ》がある。それは、右《みぎ》と左《ひだり》に分《わ》かれていたり、行《い》き止《ど》まりになっていたりする。そして、ところどころに落《お》とし穴《あな》とか、頭《あたま》から水《みず》が落《お》ちてきたりする」

「おもしろいな。だけど、材料《ざいりょう》はどこにあるんだ?」

「パイプとトタンが、ほら、あそこに山積《やまづ》みしてあるじゃないか。あれだけあれば十分《じゅうぶん》だ」

中尾《なかお》が言《い》うと、全員《ぜんいん》が「やろうぜ」と賛成《さんせい》した。

「よし、じゃ中尾《なかお》が設計図《せっけいず》を書《か》いて、迷路《めいろ》をつくることにしよう」

「設計図《せっけいず》をつくる前《まえ》に、おもしろいアイディアがあったら言《い》ってくれよ」

中尾《なかお》が言《い》った。

「何《なん》か踏《ふ》むとさ、横《よこ》から拳骨《げんこつ》が出《で》てきて、パンチを食《く》らわせるなんてどうだ？」

安永《やすなが》が言《い》った。

「よし、その案《あん》いただき」

「行《い》き止《ど》まりがあるだろう。そこに、ここはあけてはいけませんと書《か》いておくんだ。そうすると大《たい》抵《てい》の奴《やつ》はあけてみたくなる」

「あけると……？」

「正面《しょうめん》に、右《みぎ》を見《み》ろと書《か》いてある。右《みぎ》を見《み》ると左《ひだり》を見《み》ろと書《か》いてある。そこで左《ひだり》を見《み》ると上《うえ》を見《み》ろと書《か》いてある。しかたないから上《うえ》を見《み》る。するとそこに鏡《かがみ》が貼《は》ってあって、バカの顔《かお》と書《か》いてある」

宇野《うの》が、まじめな顔《かお》をして言《い》うのがおもしろくて、みんな大笑《おおわら》いになった。

「それもいただきだな」

中尾《なかお》は手帳《てちょう》にメモした。こういうことになると、みんな夢中《むちゅう》になってアイディアを出《だ》す。時間《じかん》のたつのをすっかり忘《わす》れていた。

夕方《ゆうがた》の五時《ごじ》。谷本《たにもと》と純子《じゅんこ》が定時《ていじ》の連絡《れんらく》をしてくる時間《じかん》だ。みんな、迷路《めいろ》の設計《せっけい》に夢中《むちゅう》なので、相《あい》原《はら》と英治《えいじ》が屋上《おくじょう》に上《のぼ》った。

夕方《ゆうがた》といっても、まだ陽《ひ》が沈《しず》むには間《ま》がある。屋上《おくじょう》のコンクリートは焼《や》け石《いし》みたいで、いっこうに冷《さ》めそうもない。

『ナンバー14、どうぞ』

谷本《たにもと》の声《こえ》がした。姿《すがた》は見《み》えない。

「ナンバー7、どうぞ」

英治《えいじ》はトランシーバーに答《こた》えた。

『目立《めだ》つといけねえから、おれたちは岸《きし》のところでしゃがんでる。どうぞ』

「だれとだれがいるんだ。どうぞ」

『ナンバー33と35だ』

橋口《はしぐち》純《じゅん》子《こ》と堀場《ほりば》久美子《くみこ》がいっしょだというこ

とだ。

「あれからどうなったか、情況《じょうきょう》をおしえてくれねえか？」

『よし、35に替《か》わる』

『こんちは、頑張《がんば》ってる？』

「ああ、頑張《がんば》ってるぜ」

『あれからセン公《こう》と親《おや》たちは学校《がっこう》へ行《い》って、いろいろ相談《そうだん》したらしいよ』

「結論《けつろん》は？」

『マスコミに勘《かん》づかれるとヤバイから、それまでに、親《おや》たちがやってきて引《ひ》っこ抜《ぬ》くんだって』

「引《ひ》っこ抜《ぬ》くって……？」

『そうよ。だれかがやめれば、みんなやめるじゃん。そう考《かんが》えてるみたい』

「それ、だれが言《い》ってた？」

『校長《こうちょう》よ。うちのおやじのとこへ電話《でんわ》してきたのを盗聴《とうちょう》したの』

久美子《くみこ》の父親《ちちおや》堀場千吉《ほりばせんきち》は、堀場建設《ほりばけんせつ》の社長《しゃちょう》であると同時《どうじ》に、中学《ちゅうがく》のＰＴＡ《ピーティーエー》会長《かいちょう》でもある。ほんとうは、金儲《かねもう》けと女《おんな》しか興味《きょうみ》がないのに、将来《しょうらい》は政治家《せいじか》になろうとしているので、それをカムフラージュするため、社会福祉《しゃかいふくし》やＰＴＡ《ピーティーエー》の会長《かいちょう》などをやっている。

久美子《くみこ》は、そのことを知《し》ってから父親《ちちおや》が大嫌《だいきら》いになり、スケ番《ばん》になった。千吉《せんきち》はメンツ丸《まる》つぶれだと怒《いか》り狂《くる》っているが、ざまあみろと思《おも》っている。

榎本《えのもと》が家《いえ》にやってきて、千吉《せんきち》と密談《みつだん》しているのを久美子《くみこ》が小耳《こみみ》にはさんだのは、一《いっ》か月《げつ》ほど前《まえ》のことである。

学校《がっこう》では威張《いば》っている榎本《えのもと》が、千吉《せんきち》の前《まえ》ではぺこぺこして就職《しゅうしょく》をたのんでいる。そのことを相原《あいはら》に話《はな》すと、相原《あいはら》は盗聴《とうちょう》してくれないかと言《い》った。

盗聴器《とうちょうき》は、父親《ちちおや》と母親《ははおや》が外出《がいしゅつ》した日《ひ》、谷本《たにもと》がやってきて電話機《でんわき》に取《と》りつけ、久美子《くみこ》の勉強部《べんきょうべ》屋《や》で録音《ろくおん》できるようにセットしてくれた。

そんなある日《ひ》、久美子《くみこ》は、川向《かわむ》こうのS市《エスし》の市《し》長《ちょう》と千吉《せんきち》が秘密《ひみつ》の会合《かいごう》をするという情報《じょうほう》をつかんだ。もちろん相原《あいはら》に報告《ほうこく》した。

相原《あいはら》は、解放区《かいほうく》に立《た》てこもる三日前《みっかまえ》、久美子《くみこ》にその盗聴《とうちょう》をしっかりやってくれとたのんだ。

「じゃあ、あしたからうるさくなるな」

『そうよ』

「君《きみ》たちとおれたちが連絡《れんらく》し合《あ》ってること知《し》ってるか?」

『まだ気《き》づいてないみたい』

「気《き》をつけて行動《こうどう》してくれよ」

『了解《りょうかい》』

「例《れい》の会合《かいごう》はいつになりそうだ？」

『二十五日《にじゅうごにち》か二十六日《にじゅうろくにち》みたい』

「そっちの盗聴《とうちょう》もたのんだぜ」

『まかしといて』

久美子《くみこ》というのは、こういうときすごく頼《たよ》りになる女《おんな》だ。

「柿沼《かきぬま》のことはどうなった？」

『そっちは33がやってるから、彼女《かのじょ》に替《か》わるよ』

『もしもし、英《えい》ちゃん？』

純子《じゅんこ》の声《こえ》だ。

「そうだよ」

『暑《あつ》いね』

「そんなことより、犯人《はんにん》から電話《でんわ》はあったのか？」

『あったよ』

「手紙《てがみ》は？」

『うちのママから、柿沼君《かきぬまくん》のママに話《はな》して、手紙《てがみ》を出《だ》させるように言《い》っといたからね』

「犯人《はんにん》はOK《オーケー》したのか？」

『したみたい』

「柿沼《かきぬま》のおふくろが、よく言《い》うこと聞《き》いたな」

『だって、うちのママは、柿沼君《かきぬまくん》のママの相談相《そうだんあい》手《て》だもん』

「君《きみ》んちのママは中卒《ちゅうそつ》で、柿沼《かきぬま》んちは大卒《だいそつ》だろう。どうしてだ？」

『どうしてだろうね……。手紙《てがみ》が着《つ》いたらどうする?』

「きっと警察《けいさつ》に見《み》せるだろうな。その前《まえ》に、コピーでもいいからほしいんだけどな。もしコピーをとる暇《ひま》がなかったら、君《きみ》がそのとおりに書《か》き写《うつ》してくれないか?」

『いいよ。それをどうやってわたす?』

「道路《どうろ》の方《ほう》はきっと見張《みは》られてると思《おも》うから、区《く》営《えい》グランドから、ボールを投げ損《な》なった《そこ》みたいに放《ほう》りこんでくれねえか」

『了解《りょうかい》』

「あ、そうだ。こんど生《う》まれた子《こ》はなんて名前《なまえ》だ?」

『七番目《ななばんめ》だから七郎《しちろう》よ』

「ちえッ、いい加減《かげん》だな」

『いい加減《かげん》だから子《こ》どもができるんじゃん』

相原《あいはら》が、トランシーバーを横《よこ》から取《と》った。

「ナンバー14に替《か》わってくれよ」

『はい。ナンバー14』

谷本《たにもと》の声《こえ》がした。

「まだ、攻撃《こうげき》してくるようなことはなさそうだな」

『うん』

「緊急《きんきゅう》の場合《ばあい》は、FM《エフエム》でドラえもんの歌《うた》を流《なが》して
くれよ」

『了解《りょうかい》』

「それから、マスコミに通知《つうち》してくれねえか？」

『解放区《かいほうく》のことをか？』

「そうだ」

『了解《りょうかい》』

6

午後九時《ごごくじ》。

「さあ、寝《ね》るか」

相原《あいはら》が言《い》った。

「もう寝《ね》るのか？」

安永《やすなが》が不満《ふまん》そうな声《こえ》を出《だ》した。

「じゃあ、暗《くら》くして話《はな》そうぜ。ろうそくがもったいないからな」

「ちょっと待《ま》ってくれ。その前《まえ》に小便《しょうべん》に行《い》ってくる。だれかいっしょに行《い》く者《もの》ないか？」

日比野《ひびの》が言《い》うと、四《し》、五人《ごにん》がつづけて「行《い》く、行《い》く」と言《い》った。

ここのトイレは三階《さんかい》の隅《すみ》にある。夜一人《よるひとり》ではとても行《い》けない。

「こんやで、二日間《ふつかかん》もテレビを見《み》ないなんて、おれには生《う》まれてはじめての体験《たいけん》だぜ」

秋元《あきもと》が言《い》った。

「おれはキャンプしたことあるから、テレビなんか見《み》なくたってへっちゃらさ」

英治《えいじ》が言《い》った。

「おれ、プロレスが見《み》られないことだけが辛《つら》いんだよな」

天野《あまの》のプロレス好《ず》きは、クラスというより学年《がくねん》で一番《いちばん》である。それは、好《す》きというよりは狂《きょう》に近《ちか》い。

小便《しょうべん》に行《い》った連中《れんちゅう》が帰《かえ》ってきたので、相原《あいはら》はろうそくを吹《ふ》き消《け》した。部屋《へや》の中《なか》は真《ま》っ暗《くら》になり、あけた窓《まど》の外《そと》に、ぼんやりと夜空《よぞら》が見《み》えはじめた。

「じいさんが言《い》ってたけどよ」

安永《やすなが》が話《はな》しはじめた。

「昭和二十年《しょうわにじゅうねん》の三月十日《さんがつとおか》の空襲《くうしゅう》のとき、この辺《へん》は焼《や》けて、たくさんの人《ひと》が死《し》んだんだってさ。いまでも、この下《した》を掘《ほ》ると骨《ほね》が出《で》てくるってよ」

「うそだ」

吉村《よしむら》が甲高《かんだか》い声《こえ》をあげた。

「ほんとさ。だから、ときどき幽霊《ゆうれい》が出《で》るんだって」

英治《えいじ》は背筋《せすじ》が寒《さむ》くなってきた。

「ちょっと、静《しず》かにしろ」

相原《あいはら》が言《い》った。

「ほら、足音《あしおと》が聞《き》こえるだろう」

一瞬《いっしゅん》、吐《は》く息《いき》が聞《き》こえそうなほど静《しず》まりかえった。たしかに、廊下《ろうか》を歩《ある》く足音《あしおと》が聞《き》こえる。

「お化《ば》けじゃねえのか?」

宇野《うの》の声《こえ》はふるえている。

「お化《ば》けに足《あし》があるかよ」

安永《やすなが》が言《い》ったが、だれも笑《わら》わない。足音《あしおと》は次第《しだい》に近《ちか》づいてくる。やがて止《と》まったと思《おも》うと、ドアーをノックする低《ひく》い音《おと》がした。

「だれだ？」

相原《あいはら》が聞《き》いた。

「わしだ。もうみんな寝《ね》たのか？」

瀬川《せがわ》の声《こえ》だ。

「なんだ、お化《ば》けかと思《おも》ってびっくりしたぜ」

瀬川《せがわ》は、ろうそくを持《も》って部屋《へや》へ入《はい》ってきた。

「みんなまだ寝《ね》てないんなら、怖《こわ》い話《はなし》を聞《き》かせてやろうと思《おも》ってやってきたんだ。どうだ、聞《き》きたいか？」

「聞《き》きたい」

という声《こえ》が、いっせいに起《お》こった。

「よし、ではみんな、わしのまわりに集《あつ》まれ」

瀬川《せがわ》は、小《ちい》さな板《いた》きれの上《うえ》に乗《の》せたろうそくを床《ゆか》に置《お》くと、自分《じぶん》はあぐらをかいて座《すわ》った。そのまわりをみんなが取《と》り囲《かこ》んだ。

瀬川《せがわ》の顔《かお》は、ろうそくの光《ひかり》を下《した》から受《う》けて、何《なに》も言《い》わなくても無気味《ぶきみ》だ。

「いいか、これはわしが戦争《せんそう》で中国《ちゅうごく》に行《い》ったとき、ほんとうに体験《たいけん》した話《はなし》だ。作《つく》り話《ばなし》ではないぞ」

瀬川《せがわ》の低《ひく》い声《こえ》を聞《き》いただけで、英治《えいじ》はもうからだがぞくぞくしてきた。

「その日《ひ》は、昼間《ひるま》激《はげ》しい戦闘《せんとう》があって、敵《てき》も味方《みかた》もたくさん死《し》んだ。わしたちの小隊《しょうたい》は、小《ち い》さな村《むら》を占領《せんりょう》して、そこで野営《やえい》したんだが、夜《よる》になると雨《あめ》が降《ふ》り出《だ》してきた」

瀬川《せがわ》は、むかしのことを思《おも》い出《だ》そうとするためか、目《め》を遠《とお》くへ向《む》けた。

「もちろん、村人《むらびと》たちはどこかへ逃《に》げてしまって、村《むら》にはわしたち以外《いがい》だれもいなかった。夜中《よなか》の一《いち》時《じ》ごろだったかな、わしは歩哨《ほしょう》に立《た》った」

「歩哨《ほしょう》って何《なに》？」

「見張《みは》りのことさ。敵《てき》がいつ攻《せ》めてくるかわからんからな」

「真《ま》っ暗《くら》なところに立《た》つの？　怖《こわ》いだろうな」

「そりゃ怖《こわ》いさ。いつ襲《おそ》われるかわからんからな。何十分《なんじっぷん》くらいしてからかな。ふっと見《み》ると、雨《あめ》の中《なか》に女《おんな》が立《た》っているではないか」

女《おんな》と聞《き》いたとたん、英治《えいじ》の首《くび》から二《に》の腕《うで》にかけて鳥肌《とりはだ》が立《た》った。

「こんなところに女《おんな》が立《た》っているわけがない。わしは幻覚《げんかく》だと思《おも》って首《くび》を振《ふ》った。しかし、女《おんな》の姿《すがた》は消《き》えない。それればかりか、向《む》こうへ歩《ある》いて行《い》くではないか。わしは『だれか？』と言《い》った。それでも、女《おんな》は振《ふ》り向《む》きもせず遠《とお》ざかって行《い》く」

宇野《うの》は、両手《りょうて》で耳《みみ》を押《お》さえている。

「わしは、女《おんな》のあとについて行《い》った。ところが、わしが早《はや》く歩《ある》けば向《む》こうも早《はや》く歩《ある》く。おそく歩《ある》けばおそく歩《ある》く。ちっとも距離《きょり》が縮《ちぢ》まらんのだ。しばらく歩《ある》いているうちに、やっと女《おんな》が立《た》ち止《ど》まった。わしは、女《おんな》の肩《かた》に手《て》をかけて『おい』と言《い》った。そうしたら、女《おんな》が振《ふ》り向《む》いた」

みんな、息《いき》をつめるようにして、瀬川《せがわ》の顔《かお》に目《め》を凝《こ》らしている。

「女《おんな》の顔《かお》は、目《め》も鼻《はな》も口《くち》もないノッペラボーだったんだ」

部屋《へや》の中《なか》に異様《いよう》な声《こえ》が充満《じゅうまん》した。

「わしは、腰《こし》が抜《ぬ》けるほどおどろいて逃《に》げ出《だ》した。ところが方角《ほうがく》がまったくわからんのだ。一晩中《ひとばんじゅう》歩《ある》きまわって、やっと小隊《しょうたい》に戻《もど》ってきたときには夜《よ》が明《あ》けていた」

「へえ……。そんなことってあるのかな」

英治《えいじ》は半信半疑《はんしんはんぎ》だった。

「それ、幽霊《ゆうれい》だね」

「そうかもしれん。その日《ひ》の昼《ひる》の戦闘《せんとう》で、たしかにそんな女《おんな》が、弾丸《だんがん》にあたって死《し》んだのだ」

「みんなは信用《しんよう》した？」

「君《きみ》たちはどうだ？」

だれも返事《へんじ》をする者《もの》はいなかった。

「世《よ》の中《なか》には、理屈《りくつ》では説明《せつめい》できない不思議《ふしぎ》なことが起《お》こるものだ」

そうかもしれない。英治《えいじ》は、すっかり目《め》が冴《さ》えてしまった。これでは、とても眠《ねむ》れそうにないと思《おも》った。

❷/3へつづく。

この作品《さくひん》は、１９８５年《ねん》４月《がつ》、角川文庫《かどかわぶんこ》から刊行《かんこう》された『ぼくらの七日間戦争《なのかかんせんそう》』をもとに、漢字《かんじ》にふりがなをふり、一部《いちぶ》を書《か》きかえて読《よ》みやすくしたものです。

全共闘《ぜんきょうとう》について

1968〜1969年《ねん》にかけて、全国的《ぜんこくてき》に広《ひろ》がった学生運動《がくせいうんどう》。大学生《だいがくせい》が学生生活《がくせいせいかつ》や政治《せいじ》に対《たい》して、問題提起《もんだいてい き》や社会運動《しゃかいうんどう》を行《おこな》いました。

著者《ちょしゃ》の宗田理《そうだおさむ》さんがポプラ社版《しゃばん》『ぼくらの七日《なのか》間戦争《かんせんそう》』あとがきで、以下《いか》のように書《か》いています。

……大学闘争《だいがくとうそう》があり、東大《とうだい》、日大《にちだい》を中心《ちゅうしん》とする全共闘運動《ぜんきょうとううんどう》は、1969年《ねん》1月《がつ》の東大安田《とうだいやすだ》

講堂攻防戦《こうどうこうぼうせん》にいたって、一挙《いっきょ》に頂点《ちょうてん》に登《のぼ》りつめた。英治《えいじ》や相原《あいはら》はその世代《せだい》の二世《にせい》にあたる。あのころ権力《けんりょく》に立《た》ち向《む》かった、親《おや》たちの青春《せいしゅん》時代《じだい》はかっこうよかった。

しかし、今《いま》はどうだろう。

あんなにも燃《も》えた青年《せいねん》たちは、自分《じぶん》の子《こ》どもを育《そだ》てるようになると、若《わか》いころの情熱《じょうねつ》はすっかり影《かげ》をひそめ、体制《たいせい》に組《く》み込《こ》まれ、高度成長《こうどうせいちょう》の波《なみ》に乗《の》った。全共闘運動《ぜんきょうとううんどう》はまるで過《す》ぎてしまったインフルエンザみたいに、あるいは悪夢《あくむ》みたいに忘れられていった。……

『ぼくらの七日間戦争《なのかかんせんそう》』は、その後《ご》、映画化《えいがか》やアニメ化《か》などがされて、子《こ》どもたちを中心《ちゅうしん》に長《なが》く読《よ》みつがれています。すでに全共闘《ぜんきょうとう》などの学生運動《がくせいうんどう》はありませんが、時代《じだい》をこえ、子《こ》どもたちの立場《たちば》から見《み》た大人《おとな》たち、そして社会《しゃかい》の姿《すがた》を描《えが》いた作品《さくひん》として、これからも読《よ》みつがれていく作品《さくひん》だと思《おも》います。

体育祭《たいいくさい》』『ぼくらの太平洋戦争《たいへいようせんそう》』『ぼくらの一日校長《いちにちこうちょう》』『ぼくらのいたずらバトル』『ぼくらの㊙学園祭《マルひがくえんさい》』『ぼくらの無人島《むじんとう》戦争《せんそう》』『ぼくらのハイジャック戦争《せんそう》』『ぼくらの消《き》えた学校《がっこう》』『ぼくらの卒業《そつぎょう》いたずら大作戦《だいさくせん》　上《じょう》下《げ》』『ぼくらの大脱走《だいだっそう》』『ぼくらのミステリー列車《れっしゃ》』『ぼくらの地下迷路《ちかめいろ》』『ぼくらのオンライン戦争《せんそう》』『ぼくらの東京革命《とうきょうかくめい》』（角川《かどかわ》つばさ文庫《ぶんこ》）など。

はしもとしん／絵《え》

和歌山県生《わかやまけんう》まれ。角川《かどかわ》つばさ文庫《ぶんこ》「ぼくら」「2A《エー》」シリーズのイラストを担当《たんとう》。

宗田《そうだ》　理《おさむ》／作《さく》

東京都《とうきょうと》生《う》まれ、少年期《しょうねんき》を愛知県《あいちけん》ですごす。『ぼくらの七日間戦争《なのかかんせんそう》』をはじめとする「ぼくら」シリーズは中高生《ちゅうこうせい》を中心《ちゅうしん》に圧倒的人気《あっとうてきにんき》を呼《よ》び大《だい》ベストセラーに。

著作《ちょさく》に『ぼくらの天使《てんし》ゲーム』『ぼくらの大冒険《だいぼうけん》』『ぼくらと七人《しちにん》の盗賊《とうぞく》たち』『ぼくらの学校戦争《がっこうせんそう》』『ぼくらのデスゲーム』『ぼくらの南《みなみ》の島戦争《しませんそう》』『ぼくらの㋳バイト作戦《さくせん》』『ぼくらのC計画《クリーンけいかく》』『ぼくらの怪盗戦争《かいとうせんそう》』『ぼくらの㊩《ブラック》会社戦争《かいしゃせんそう》』『ぼくらの修学旅行《しゅうがくりょこう》』『ぼくらのテーマパーク決戦《けっせん》』『ぼくらの

大きな文字の角川つばさ文庫
ぼくらの七日間戦争 ❶/3
宗田 理・作
はしもとしん・絵

2024年3月1日初版発行

［発行所］
有限会社 読書工房
〒171-0031
東京都豊島区目白2-18-15
目白コンコルド115
電話：03-6914-0960
ファックス：03-6914-0961
Eメール：info@d-kobo.jp
https://www.d-kobo.jp/

［印刷・製本］
セルン株式会社

本書の無断複製（コピー）は著作権法上での例外を除き、禁じられています。
落丁本・乱丁本は、上記読書工房あてにお送りください。
送料同社負担にてお取り替えいたします。

©Osamu Soda 1985, 2009, 2023 ©Shin Hashimoto2009, 2023 printed in Japan
ISBN978-4-902666-3?-? N.D.C. 913 328p 21cm